Smuk natur, venlige mennesker

Forsidebillede:
Efterår i Black Mountains (Yancey County) på vej op mod toppen af Mount Mitchell; det højeste bjerg øst for Mississippifloden,

Tilegnet alle de mennesker, der som jeg elsker det vestlige North Carolina og de mennesker, der bor i området – og de mennesker som endnu ikke har besøgt denne del af USA, og derfor endnu ikke har lært at elske regionen og dens indbyggere.

Tak til alle de, der har hjulpet mig og modtaget mig med stor venlighed og gæstfrihed under mine besøg i området, ingen nævnt, ingen glemt. Og en særlig tak til Tim, min søn, der har udholdt mange timer i bilen og har været trukket med rundt til sære steder, når jeg ønskede at udforske noget nyt,

Bogen er tidligere udkommet på engelsk under titlen Land of Friendliness and Beauty, og indholdet i denne, danske version er stort set det samme som i den seneste engelske udgave, dog med enkelte rettelser og tilføjelser, ligesom en del af billedmaterialet er udskiftet og der er kommet flere billeder.

Jan Kronsell, Brøndby, Danmark 2020

Web: www.kronsell.net
Mail: wncbook@kronsell.net

Jan Kronsell

Smuk natur, venlige mennesker
En danskers guide til det vestlige North Carolina

Forlag: Books on Demand GmbH, København, Danmark
Tryk: Books on Demand GmbH, Norderstedt, Tyskland

ISBN: 9788743028017

Indhold

Introduktion..1

Områdets historie 4

Geografi, klima og natur 15

Mennesker og lidt til 34

At komme dertil og omkring...51

Western North Carolina amt for amt...83

Information til rejsende til og i USA..193

Adresser med mere..235

Oversigt over amter, der er omtalt i guiden 255

Introduktion

Lad mig starte denne bog med en kort introduktion til mig selv. Jeg bor i Brøndby, omkring 7.200 km i luftlinje fra Asheville, en af hovedbyerne i det vestlige North Carolina. Jeg har aldrig boet i North Carolina eller andre steder i USA, men jeg har besøgt landet ofte, og har kørt omkring 130.000 km på amerikanske veje siden 2000, og forhåbentlig vil mange flere komme til. Jeg har besøgt 41 af de 48 sammenhængende stater, og de sidste skulle have været besøgt i sommeren 2020, hvis ikke covid-19 pandemien havde sat en (forhåbentlig midlertidig) stopper for mine rejser. Der er dog et sted, jeg altid vender tilbage til, nemlig det vestlige North Carolina, som jeg har besøgt én til to gange om året siden 2012 og flere gange før det. Også et forårsbesøg i dette område i 2020 måtte desværre aflyses eller i hvert fald udsættes på grund af pandemien.

Men nok om det! Hvad får en dansker til at skrive en guide til det vestlige North Carolina? For at svare på mit eget spørgsmål må jeg indrømme, at der er et par grunde. For det første har jeg ikke været i stand til at finde en anden guide, der i detaljer fortalte mig, hvad jeg gerne ville vide – eller rettere gerne ville have vidst, før jeg selv besøgte området første gang. For det andet elsker jeg dette hjørne af USA. Det gælder både historien, naturen og ikke mindst de mennesker, der bor der.

Måske er der nogle læsere, der savner information, som jeg ikke har inkluderet i denne guide, og hvis det er tilfældet, beklager jeg, men dette er altså, hvad jeg gerne ville have vidst, inden jeg for første gang kom til det, der i dag er mit absolutte yndlingsområde i USA.

Men hvorfor skulle nogen overhovedet finde på at besøge dette afsides beliggende, landlige område i Amerika, når man lige så godt kunne besøge New York, Chicago, San Francisco eller en af de mange andre storbyer, med alt hvad sådanne har at tilbyde? Eller hvad med Florida og det sydlige Californien med det strålende klima, for slet ikke at tale om nationalparkerne i det vestlige USA, med al deres naturskønhed – eller alt det andet fantastiske man kan se og opleve i USA? Måske vil du opdage, når du har læst denne guide, hvis du altså kommer så langt, at der faktisk er meget at se og opleve og en mængde steder i det vestlige North Carolina, der er et besøg og sågar en omvej værd – endda en nationalpark, hvis det er, hvad du er på udkig efter – og oven i købet den mest besøgte af alle USA's nationalparker.

På den anden side skal du sikkert være interesseret i natur og/eller historie eller bare ønske at slappe af i rolige omgivelser blandt utroligt søde, venlige og ikke mindst gæstfri mennesker for at finde området interessant. Hvorfor? Jo, hvis du kan lide at solbade på stranden og svømme i havet, eller hvis du er til storbyferie, bør du nok tage et andet sted hen. Det vestlige North Carolina ligger 400 km fra det nærmeste hav, men hvis du har lyst til en svømmetur er der masser af søer og floder, hvor du kan bade – enkelte endda med en mindre strand. Og de fleste hoteller/moteller har swimmingpools. Men altså ikke spor af hav. Der er heller ingen storbyer i området, selv om North Carolinas største by ligger lige uden for det, der officielt er det vestlige North Carolina, Western North Carolina, eller bare WNC (en forkortelse, som jeg typisk bruger i guiden, selv om jeg af og til skriver navnet fuldt ud). Og du skal ikke være fanatisk tilhænger af godt vejr på dine ferier – i hvert fald ikke hvis godt vejr for dig er strålende sol fra morgen til aften.

Guiden er først og fremmest skrevet for mennesker, der har lyst til at besøge området, og måske aldrig har været der før, eller som bare gerne vil vide mere om stedet. Derfor indeholder bogen også et afsnit med forskellige rejsetips, hvoraf nogle af dem er specifikke for området, mens andre også gælder for resten af landet – nok et afsnit mest interessant for førstegangsrejsende til USA.

Som nævnt ovenfor har jeg besøgt WNC mange gange i kortere eller længere perioder, og i denne guide vil jeg se nærmere på historien, geografien, klimaet og forskellige turistattraktioner, som jeg personligt finder det værd at besøge, men der er mange andre, som ikke er kommet med i denne guide – så der er også noget at udforske på egen hånd. Jeg vil også give kortere og længere beskrivelser af de counties (amter) der udgør WNC. Ikke alle disse er lige interessante og har lige mange attraktioner, så nogle afsnit er længere end andre, men sådan er det over hele verden. Nogle steder er mere interessante at besøge end andre.

Denne guide er altså langt hen ad vejen baseret på mine egne besøg og erfaringer, suppleret med fakta fra diverse kilder. Det betyder, at de vurderinger og kommentarer, jeg kommer med undervejs, står helt for min egen regning, og de deles ikke nødvendigvis af andre – og sådan skal det også være.

Jeg har samlet adresser på de attraktioner, overnatnings- og spisesteder, jeg omtaler undervejs, i et afsnit sidst i bogen. Jeg har valgt ikke at opgive priser på hoteller, restauranter, entreudgifter osv, da disse ændres tit og ville gøre bogen forældet, allerede inden den blev udgivet.

Områdets historie

Arkæologiske fund viser, at der har levet mennesker i de sydlige Appalacher-bjerge i mindst 8.000 og måske op til 15.000 år. Området har tilsyneladende været beboet kontinuert siden de første mennesker ankom en gang efter den seneste istid. Desværre er der ingen der ved, hvem disse mennesker var, eller hvor de kom fra, selv der er fundet enkelte gravhøje; ikke mindst i det, der kaldes Piedmontregionen. Fundene viser, at disse mennesker var nomadiske jægere og samlere, men ellers ved vi desværre ikke meget. Fra omkring 1000 f.v.t. findes der spor af mere fastboende landbrugere. Perioden mellem 1000 f.v.t til 1000 e.v.t kaldes "Woodlandperioden", selv om nogle arkæologer lader denne periode vare helt frem til de oprindelige amerikanere mødte hvide mennesker for første gang omkring 1540. De fleste kalder dog perioden fra 1000 e.v.t. for "Mississippikulturen". De mennesker, der boede i området, i hvert fald den sidste del af Woodlandperioden samt under Mississippikulturen, var højbyggere. De byggede ikke gravhøje, men høje til ceremonielle formål. Der er dog stadig tvivl om, hvem der egentlig boede i området i dette tidsrum, hvor der er langt flere fund end fra tidligere perioder. Flere og flere arkæologer mener dog, at det var forfædrene til de nuværende stammer af oprindelige amerikanere, og mange af stammerne, også de, der senere er blevet fordrevet fra området, fastholder i deres legender og "historie", at deres forfædre har boet i området "altid", selv om nogle arkæologer mener, at de er efterkommere af folk, der indvandrede til området for kun omkring 5-600 år siden.

Hernando de Soto og den spanske tid

De første hvide mennesker, der ankom til det vestlige North Carolina var medlemmer af den ekspedition, som den spanske opdagelsesrejsende, Hernando de Soto, gennemførte omkring 1540. Faktisk stammer navnet på bjergkæden Appalacherne fra den spanske tid. Det kommer fra navnet på en stamme af oprindelige amerikanere som Pánfilo de Narváez mødte 2. juni 1528 nær det nuværende Tallahassee på en ekspedition til det nordlige Florida. Stammens navn var egentlig Apalchen, men spanierne forvanskede navnet til "Applachee". Derfra blev det så angliceret til Appalaches. Fra at være navnet på stammen kom ordet efterhånden til at dække over i første omgang regionen, som stammen boede i, og senere var det altså hele bjergkæden, der overtog navnet.

De Sotos første møde med de oprindelige indbyggere i det område, som i dag udgør WNC, fandt sted i en landsby nær den nuværende by Hickory i Catawba County. De mennesker, han mødte, var sandsynligvis medlemmer af Catawba-stammen, som netop var dominerende i dette område. Denne stamme kaldte sig selv for "iswa", flodfolket. Det sprog, de talte, tilhørte den siuoanske sprogfamilie, hvilket måske kan indikere at de oprindeligt var indvandret fra det centrale USA, hvor de fleste stammer, der taler sprog fra denne familie, findes. Senere fortsatte de Soto længere mod vest, hvor han mødte cherokeestammen, der var blandt catawbaernes arvefjender. Begge stammer har beretninger om kampe mellem dem tilbage til i hvert fald omkring 1200 e.v.t. Cherokee'erne talte et irokesisk sprog, som dog ligger meget langt fra de øvrige sprog i denne sprogfamilie. Meget mere om denne stamme på side 46. På den videre færd mødte de Soto andre stammer, som dog er mindre relevante, da de boede uden for det område, som denne guide dækker.

I 1567 byggede en spansk styrke under kommando af en vis Juan Pardo et fort tæt på en indfødt landsby, Joara, nord for den nuværende by Morganton i Burke County. Senere byggede styrken yderligere fem forter og Pardo delte sin styrke på 120 mand mellem disse seks forter, men i løbet af 18 måneder var alle forterne ødelagt, og alle mand på nær én var dræbt. Den sidste blev sparet, så han kunne vende hjem til sine landsmænd og fortælle dem, at de ikke var velkomne og skulle holde sig væk.

Herrnhuterne og deres efterfølgere

Bortset fra nogle få lejlighedsvise jægere og nogle ganske få nybyggere, var den næste organiserede gruppe af europæere, der kom til området, sandsynligvis en gruppe herrnhutere ("moravians" på engelsk), under ledelse af biskop August Gottlieb Spangenberg, som var udsendt af menigheden i Pennsylvania for at finde et sted, hvor medlemmer af trossamfundet kunne slå sig ned og leve i fred. I 1752 nåede gruppen så langt mod vest som til det, der i dag er det østlige Tennessee. De slog sig dog ikke ned her, men rejste tilbage mod øst til et sted i Yadkin Valley i det, der i dag er Forsythe County – lige uden for WNC. Her købte de land af John Carteret, 2nd Earl Granville, der ejede omkring en ottendedel af begge Carolinastaterne. Det område, herrnhuterne købte, var på 123.000 acres (ca. 50.000 hektar) eller omkring det halve af det nuværende Forsyth County. Her etablerede de en række bebyggelser, blandt andre Bathabara i 1753, Bethlehem i 1759 og Salem i 1766 (siden 1913 Winston-Salem, mere på side 41). Et enkelt medlem af gruppen valgte dog at rejse tilbage mod vest, hvor han slog sig ned med sin familie i det, der i dag er Ashe County. Selv om de ikke blev længe i området, har herrnhuterne alligevel efterladt sig spor, som fx i stednavnet Moravian Falls i Wilkes County.

Som tiden gik, kom flere hvide jægere og handelsmænd, ikke mindst skotter, irere og tyskere fra kolonierne nord for North Carolina, til området. Mange af disse slog sig ned blandt indianerne, ikke mindst hos Cherokeestammen. En af disse første nybyggere var en mand ved navn Christopher Gist (Guyst eller Guess – hans navn staves forskelligt i forskellige kilder), som kom til området kort før 1750. Han slog sig ned i den vestlige del af Yadkin Valley i hvad der nu er Caldwell County, hvor han levede sammen med en kvinde fra cherokeestammen. Deres søn, Nathaniel, giftede sig med Wuteh, en cherokeekvinde, der efter nogle kilder var søster til (andre siger niece af) de to kendte cherokeehøvdinge, Old Tassel og Doublehead. Deres søn, Sequoya (hans engelske navn var George Gist), udviklede omkring 1820, uden selv at kunne læse eller skrive, det stavelsesalfabet, som stammen anvender den dag i dag. Nathaniel Gist var under Uafhængighedskrigen officer i George Washingtons hær af patrioter.

I begyndelsen levede de hvide og indianerne fredeligt med hinanden, men efterhånden som flere og flere europærere kom til området og etablerede deres egne bebyggelser, var freden slut. Storbritannien tvang mange stammer til at underskrive traktater, hvor de afgav land mod en økonomisk kompensation, som i mange tilfælde aldrig blev betalt fuldt ud. Den fortsatte tilflytning af hvide ledte til mange stridigheder og endda til alvorlige kampe. Den berømte pioner, Daniel Boone, kom til området nogle få år efter Christopher Gist, og også han slog sig ned i den vestlige del af Yadkin Valley i det nuværende Wilkes County. Her boede han indtil 1773, hvor han flyttede med sin familie til det, som i i dag er Kentucky. I 1775 blev han hyret til at føre en gruppe forretningsmænd fra North Carolina til et sted kendt som Sycamore Shoals, nogle strømfald på Watauga River tæt ved det nuværende Elizabethton i Tennessee. Advokaten Richard Henderson anførte selskabet, hvis mål var at forhandle om køb af et stort landområde i nutidens nordlige Tennessee og sydlige Kentucky fra cherokee stammen. Denne handel, som senere er blevet kendt som The Henderson Land

6

Puchase eller The Transyvania Land Purchase (efter selskabets navn, Transylvania Land Company) var ulovlig, idet den britiske regering havde udstedt et forbud mod at civile købte land af indianerne. I 1775 var der dog ikke mange i kolonierne, som tog sig meget af love, der var udstedt i England, da revolutionen allerede havde ulmet nogle år. Også for cherokeestammen var salget imidlertid ulovligt. Selv om mange anerkendte høvdinge, inklusive stammens overhøvding, Attacullaculla, underskrev traktaten, havde de ifølge stammens love ikke ret til at sælge stammejord, og nogle af de yngre høvdinge accepterede ikke salget og meddelte, at de ville bekæmpe de hvide med vold. Dette resulterede i de såkaldte chickamaugakrige mellem amerikanske kolonister og en del af cherokeestammen, som kom til at vare 18 år fra 1776 til 1794 med store omkostninger for begge sider til følge.

Uafhængighedskrig, borgerkrig og rekonstruktion
Under Den Amerikanske Uafhængighedskrig stillede de fleste indbyggere i WNC sig på kolonisternes side kampen mod Storbritannien (de, der kæmpede for uafhængighed blev kaldt patrioter), mens nogle få såkaldte loyalister eller tories sluttede sig til briterne. En styrke på omkring 1.000 mand fra North Carolina, som dengang også omfattede dele af det nuværende Tennessee, deltog i det berømte slag ved Kings[1] Mountain i South Carolina, hvor oprørerne besejrede en britisk hærstyrke. En del af dem mødtes ved Sycamore Shoals (se ovenfor), hvorfra de marcherede over bjergene, og medlemmerne af denne styrke blev senere kendt som The Overmountain Men.

Da Uafhængighedskrigen var slut, intensiveredes kampene mod cherokee'erne og andre indianerstammer. Mange af disse havde stillet sig på briternes side under krigen, fordi de regnede med, at briterne ville behandle dem bedre end kolonisterne ville, og at briterne – i modsætning til kolonisterne – ville forhindre europæisk ekspansion vest for Appalacherne. Mange indianere kæmpede hårdnakket mod hvad de med rette betragtede som fremmed indtrængen på deres område og blandt disse var kendte cherokeehøvdinge som Dragging Canoe, Bob Benge, Major Ridge, John Watts, Doublehead og mange andre. Det var

---

[1] Hvis nogen undrer sig over bogens mangel på ejefaldsapostroffer i stednavne, skyldes det, at det bruger man ikke i USA. Faktisk har kun fem offcielle stednavne i USA en ejefaldsapostrof og ingen af dem i nærheden af WNC.

under disse kampe, at Doublehead fik sit tilnavn som "den mest blodtørstige af alle vilde", fordi han ved et par lejligheder spiste sine ofre. Da han under et besøg i New York flere år senere blev interviewet til en avis, blev han spurgt om, hvad han nu syntes om de hvide, og hans svar var: *"We the Cherokees have eaten a large quantity of the white men's flesh, but have had so much of it we are tired of it, and think it too salty"* Da Chickamaugakrigene endeligt sluttede i 1794, blev der forholdsvis fredeligt i området i en årrække og en del indianere begyndte at leve som de hvide, med store plantager drevet ved hjælp af slave-arbejdskraft.

Efter Uafhængighedskrigen begyndte landbruget i North Carolina at udvikle sig. I den østlige del af staten opstod store plantager med slaver som den primære arbejdskraft. Også i WNC var der plantager, der blev drevet ved hjælp af slaver, men antallet af slaver i WNC var aldrig så stort som i andre dele af staten. Dertil var der simpelthen for få rigtigt store plantager. De fleste gårde var forholdsvis små og blev drevet af ejeren og hans familie, af og til suppleret med daglejere, der blev hyret efter behov for kortere perioder fx i forbindelse med høst. I modsætning til slaver, som skulle have et sted at bo, være sig nok så ringe, og som også skulle have mad, skulle man ikke føde på daglejerne, når der ikke var noget arbejde.

Større gårde blev ofte drevet ved hjælp af såkaldte "share croppers", mennesker som ikke selv ejede jord, men som dyrkede jorden på ejerens vegne, af og til mod en andel af udbyttet og af til mod at de fik tildelt et mindre stykke jord typisk tæt på den hytte, de fik stillet til rådighed, som de så kunne dyrke til dem selv og familierne, men løn var der ikke tale om.

Der var som nævnt nogle slaver i området, og der var et antal såkaldte "free blacks", tidligere slaver, som var blevet frigivet. De fleste slaveejere havde en eller to slaver, og meget få havde mere end 10, selv om der var plantager i den østlige del af WNC med op til 30-40 slaver. Efter Uafhængighedskrigen var en del herrnhutere og kvækere kommet til området, og som modstandere af slaveri forsøgte de at overtale deres naboer til at opgive slaveriet og frigive deres sla-ver, og af og til lykkedes det, hvilket antallet af "free blacks" viste. I gennemsnit var 33 % af North Carolinas befolkning før Borgerkrigen slaver, hvilket var en mindre procentdel end de fleste andre sydstater, og i WNC var udgjorde slaver kun omkring 10 % af befolkningen og endnu mindre i visse counties i bjergene.

I december 1860 udtrådte South Carolina som den første stat af Unionen og erklærede sig selvstændig. Snart fulgte flere stater efter, og de sluttede sig sammen i The Confederate States of America (CSA). Den 12. april 1861 åbnede tropper fra Fort Johnson i Charleston under kommando af General Pierre T. Beauregard ild mod en unionsstyrke på Fort Sumter i Charlestons havn, og dermed var Den amerikanske Borgerkrig begyndt. Som nævnt var North Carolina også en slavestat, men her havde man ikke travlt med at forlade Unionen. Faktisk var mange af indbyggerne unionstilhængere, ikke mindst i den vestlige del af staten. Først da præsident Abraham Lincoln bad North Carolina rejse en hær og invadere søsterstaten South Carolina (som man trods 150 års adskillelse stadig følte sig forbundet med), forlod North Carolina Unionen og sluttede sig til CSA den 20. maj 1861. Men selv da var indbyggerne i WNC ikke ivrige efter at staten skulle løsrive sig. I den afstemning, der gik forud for beslutningen om at udtræde, stemte et stort flertal i WNC for at forblive. I fx Wilkes County stemte kun 51 (frie, hvide mænd som var de eneste med stemmeret) for udtræden, mens 1.851 stemte for at forblive. Men selv om der ikke havde været den store stemning for løsrivelsen, endte North Carolina med at bidrage til sydstatshæren med det største troppekontingent af alle de oprørske stater. 155.000 af en befolkning på ca. 600.000 hvide og "free blacks" indtrådte i hæren i løbet af de fire år krigen varede. I det omtalte Wilkes County, hvor der dengang var ca. 13.000 indbyggere, heraf 250 "free blacks" og 1.300 slaver, og hvor kun 51 havde stemt for udtræden af Unionen, meldte 358 sig som frivillige inden for krigens første måned.

Selv om mange altså meldte sig frivilligt, handlede det for de færreste om at bevare slaveriet. Flertallet ejede som nævnt ikke slaver, og en del af de, der gjorde, var godt klar over at slaveriets dage var talte. Så når fattige farmere og landarbejdere meldte sig til hæren, var det typisk fordi de satte deres hjemstat over Unionen. De betragtede sig selv om northcarolinere, mere end som amerikanere, og de troede på staternes rettigheder uden indblanding fra en fælles "overmyndighed", og det samme gjaldt i mange andre stater. En af de, der udtrykte det klart, var Robert E. Lee fra Virginia, der skulle blive øverstkommanderende for sydstatshæren. Da han i 1861 blev spurgt, om han ville overtage kommandoen over unionshæren, svarede han: *With all my devotion to the Union and the feeling of loyalty and duty of an American citizen, I have not been able to make up my mind to raise my hand against my relatives, my children, my home. I have therefore resigned my commission in the Army, and save in defense of my native State, with the sincere hope that my poor services may never be needed, I hope I may never be called on to draw my sword...*" Holdningen om, at staten var vigtigere end fællesskabet, betød også, at North Carolinas borgerkrigsguvernør, Zebulon B. Vance, valgt i 1862 og genvalgt i 1864, ragede uklar med CSAs præsident, Jefferson Davis, da Vance mente, at når USA ikke skulle begrænse staternes rettigheder, skulle CSA heller ikke.

At ikke alle fra North Carolina stod på Sydstaternes side fremgår af, at 15.000, hvoraf mange kom fra WNC, meldte sig til nordstatshæren, og under krigen opstod en gruppe, som kaldte sig *Heroes of America*. Formålet med denne gruppe var at hjælpe tilfangetagne nordstatssoldater med at flygte tilbage til deres egne linjer. Af de ca. 170.000 soldater fra North Carolina, der kæmpede på begge sider i Borgerkrigen, døde omkring 40.000. Af disse døde flere af sygdomme end der blev dræbt i kamp. Blandt de dødeligste sydomme var malaria, tyfus og dysenteri, men også influenza ramte mange dødeligt.

Den 9. april 1865 overgav den øverstbefalende for sydstatshæren, General Robert E. Lee, sin hær, Army of Northern Virginia, til Generalløjtnant Ulysses S. Grant ved Appomattox Courthouse i Virginia. Nogle dage senere overgav General Joseph Johnston, som kommanderede sydstatshæren i North Carolina, sig til Generalmajor William T. Sherman nær den nuværende by Durham. Krigens sidste skud øst for Mississippi blev affyret nær byen Waynesville i Haywood County i WNC den 6. maj 1865 af medlemmer af Thomas' Legion of Cherokee's and Highlanders[2]. Oberst William H. Thomas, den eneste hvide der nogensinde har været overhøvding over en del af cherokeestammen, angreb en nordstatsstyrke i byen, da han ikke vidste, at Lee og Johnston havde overgivet sig. Da han prøvede at overtale chefen for nordstatsstyrken til at nedlægge våbnene, fik han at vide, at de to generaler havde overgivet sig, og Thomas valgte

---

[2] En "legion" svarede nogenlunde til et regiment i størrelse, men omfattede såvel infanteri som kavaleri og artilleri. Der var dog nogle enheder under borgerkrigen, som kaldte sig "Legion" selv om de kun repræsenterede en enkelt våbenart.

derfor at lade sin legion nedlægge sine våben i stedet. Vest for Mississippi fort-
satte kampene knap to måneder endnu, og de sidste skud blev affyret den 23.
juni 1865 af "The First Indian Brigade of the Army of the Trans-Mississippi der
mest bestod af cherokeeindianere fra indianerterritoriet i det nuværende Okla-
homa under kommando af Brigadegeneral Stand Watie, den eneste indianer,
der opnåede generalsrang under Borgerkrigen.

Da krigen var slut, havde over 750.000 amerikanere mistet livet, flere end i alle
USA's andre krige tilsammen inklusive Vietnamkrigens 58.000 døde. Af de
750.000 døde var 260.000 dræbt under kamphandlinger, 370.000 var døde af
sygdomme og 120.000 døde af andre årsager som fx sult, kulde, forbrydelser
og ulykker.

Rekonstruktionstiden, som perioden mellem 1863 of 1877 bliver kaldt, var ikke
nem for sydstaterne, heller ikke for North Carolina, og selv om WNC ikke blev
ramt lige så hårdt som andre dele af staten, var det svært nok for de, der havde
overlevet krigen, at overleve freden. Staten var under militærkontrol, og selv
om præsidenten udpegede en guvernør, og der blev valgt en kongres, stod begge
myndigheder til ansvar over for den militære leder. Jeg vil ikke gå dybere ind i
amerikansk politik i denne periode, men i de første år efter krigen dominerede
de såkaldt "radikale republikanere", som ønskede at straffe syden, ikke hjælpe
staterne tilbage på fode igen. De frigivne slaver skulle have stemmeret, ret til at
købe jord, ret til at bestride offentlige embeder og så videre, hvilket demokra-
terne var stærke modstandere af. Slaverne havde fået deres frihed, men så skulle
det også stoppe der – de skulle ikke have flere rettigheder, der stillede dem lige
med de hvide. Organisationer som "Red Shirts" og Ku Klux Klan kæmpede
hårdt mod, at sorte skulle have rettigheder, og Guvernør William Holden, valgt
i 1868, prøvede at bekæmpe disse organisationer med magt ved hjælp af milits-
soldater. Da demokraterne fik magten i statens kongres, blev der i 1870 rejst en
rigsretssag (impeachement) mod Holden, som han tabte og han blev afsat som
guvernør for "at have anvendt for hårde metoder mod sine egne borgere".

Frem til nutiden

Gennem slutningen af 1800-tallet og i årene efter århundredeskiftet blev betin-
gelserne efterhånden bedre, men der var stadig mange, som var modstandere af
at give rettigheder til de tidligere slaver, og der blev gjort mange anstrengelser

11

for at fratage farvede indflydelse. Eksempler på dette er de såkaldte "Black Codes" fra 1865 og Jim Crow-lovene, der blev gennemført i 1876. De sidste indførte racemæssig adskillelse i alle offentlige institutioner, offentlig transport og så videre, selv om farvede og hvide havde samme borgerrettigheder – på papiret. Jim Crow-lovene blev først afskaffet igen i 1965! Disse forhold betød, at mange African Americans forlod North Carolina i årene efter 1900. I alt forlod mere end 500.000 farvede sydstaterne i årene mellem 1900 og 1940.

Der skete naturligvis også positive ting. Blandt disse var brødrene Wrights flyvning, der fandt sted på øen Kitty Hawk ud for North Carolinas kyst. Det var verdens første flyvning, og nummerplader fra staten bærer da også fortsat teksten"First in Flight".

I de første årtier af det nye århundrede blev der gjort en stor indsats for at genopbygge økonomien, men så kom Depressionen. I denne periode gik det hårdt ud over landmænd i den vestlige del af staten, da kun få havde råd til at købe deres produkter, og i forbindelse med Præsident Franklin D. Roosevelts New Deal program opgav mange deres hidtidige afgrøder og begyndte at dyrke tobak. Samtidigt blev der indført garanterede minimumspriser på bomuld, hvilket også hjalp. Det var også i forbindelse med New Deal programmet, at man begyndte opførelsen af Blue Ridge Parkway, se side 56, hvilket gav arbejde til mange lokale.

I årene efter Anden Verdenskrig var North Carolina en af de sydstater, som klarede sig bedst, og staten er stadig en af sydens førende stater, når det gælder uddannelse og forskning. Disse fremskridt ses mest omkring de større byer, Charlotte, Raleigh-Durham og Greensboro, som alle ligger i Piedmontområdet. Mest kendt er den såkaldte "research triangle", forskningstrekanten, melllem de tre kendte universiteter, North Carolina State University i Raleigh, Duke University i Durham og University of North Carolina i Chapel Hill. Selv om der findes en række fremragende universiteter i WNC, har man desværre ikke oplevet helt den samme fremgang her. Mange firmaer, specielt møbel- og tekstilvirksomheder har flyttet deres produktion til udlandet, men omvendt har nogle store teknologivirksomheder, fx Apple og Google, etableret datacentre i området.

Mange landmænd har i dag opgivet tobaksproduktionen – en del med støtte fra regeringen – og er vendt tilbage til andre landbrugsprodukter, ikke mindst fødevarer og vin.

Historien på en pind

Selvfølgelig er der meget mere historie at fortælle om det vestlige North Carolina, og noget af det vil blive fortalt under de enkelte counties, og selv om mange store såvel som små historiske begivenheder, der kun havde betydning for de, der var involveret i dem, har fundet sted i området, er dette jo en guide, ikke en historiebog!

Imidlertid kan man lære en del om i hvert fald nogle af disse begivenheder bare ved at køre omkring i området. I nogle af de senere afsnit i bogen omtaler jeg noget, der kaldes "Historical Markers". Der er mange sådanne "markers" over hele USA, men de blev opfundet i North Carolina og de første blev sat op for 85 år siden i 1935. I dag er der flere end 1.500 Historical Markers over hele staten. Jeg ved ikke hvor mange af disse der findes inden for det område, som denne bog dækker over, men det er temmelig mange. I Avery County findes fx syv, i Burke County tretten, Cherokee County har fem, Haywood County sytten. McDowell syv, Rutherford ni, Swain ni, Watagua ni og jeg kunne fortsætte på denne måde.

Det fulde navn på disse markers er "Highway Historical Markers", da de er placeret i vejkanter, tæt på de sted, hvor det, de fortæller om, fandt sted. "Populært er de kendt som "History on a Stick" eller "Historien på en pind". De består i North Carolina oftest af et hvidt skilt med sort tekst på en stander. Skiltet indeholder nogle få korte linjer, der simpelthen fortæller om det skete, eller hvad man kan se i nærheden. Jeg citerer fra en af disse "markers", konkret marker O-73, som står på US Route 176 ("Main Street") lige over for butikken Botes & Stuff i Saluda i Polk County:

"SALUDA GRADE
The steepest, standard gauge, mainline railway grade in the
U.S. Opened in 1878; three mi. long. Crests here."

De øvrige tekster er lige så kortfattede, men hvis man ser en marker og vil vide mere, kan man slå nummeret eller navnet op på internettet. Det er bare at søge efter den pågældende marker i *The North Carolina Highway Historical Marker Database*, hvor der findes mere information. Denne database kan besøges på www.ncmarkers.com/search.aspx. Her kan man også søge efter markers, inden man tager af sted, hvis man kender sin rute og gerne vil vide, om der er noget at se undervejs.

Geografi, klima og natur

For de, der måske ikke har helt styr på geografien, vil jeg lige slå fast, at det vestlige North Carolina ligger en del syd for Danmark, faktisk mere end 2.300 km og på højde med Nordafrika, hvilket blandt andet afspejler sig i de klimatiske forhold.

North Carolina opdeles normalt i tre geografiske regioner. Mod vest ligger Mountain Region (mountainregionen), ved Atlanterhavet mod øst finder man The Coastal Plains (kystsletten), og mellem disse to regioner ligger et plateau, kaldet The Piedmont Region (piedmontregionen). Navnet kommer fra latin og fransk, "piedmont", der kan oversættes til "bjergenes fødder". Dette kunne oversættes til engelsk som "foothills", men dette begreb anvendes også om en del af mountainregionen, så her i bogen kalder jeg det bare piedmontregionen. Denne opdeling i tre regioner er i øvrigt ikke speciel for North Carolina, men bruges i alle de stater, der ligger øst for Appalacherne, fra New Jersey i nord til Georgia i syd.

Western North Carolina/det vestlige North Carolina eller altså bare WNC er ikke bare den vestlige del af staten, men er et veldefineret område som dækker hele mountainregionen og den vestligste del af piedmontregionen. Området omfatter 28 af North Carolinas 100 counties; en enhed, der nærmest kan oversættes til den tidligere danske administrative enhed, vi kaldte et amt. Der er ikke helt sammenfald i de opgaver, rettigheder og pligter et county har, med de et dansk amt havde, men tilstrækkeligt til, at jeg har valgt at bruge ordet "amt" som oversættelse af county, når jeg ikke referer til navnet på et konkret amt, ligesom jeg bruger begrebet "amtssæde" for det administrative centrum i et amt, på engelsk "county seat". Mere om amter mm. på side 35 ff.

Ud over disse 28 amter har jeg valgt at medtage yderligere 4 amter i denne guide, selv om de ikke falder inden for den officielle afgrænsning af området. Men på grund af disse amters placering i forhold til de øvrige 28, har jeg valgt at tage dem med. Jeg omtaler også to større byer, som ligger lige uden for WNC, da jeg synes de begge er interessante for besøgende i WNC. Mere om dem på side 39 og 41

15

Kortet overnfor viser området, der er omfattet af denne guide (afgrænset af den røde linje). De fire amter, jeg selv har tilføjet, er Gaston County, Iredell County, Lincoln County og Yadkin County, og de er markeret med gul farve. Området, inklusive de fire "ekstra" amter dækker et areal på 33.000 km^2, hvilket ville gøre WNC til nummer 42 på listen over USA's stater, hvis det havde været en selvstændig stat, en lille smule større end Maryland. WNC grænser mod syd op til South Carolina og Georgia, mod vest til Tennessee og mod nord til Virginia. Som det fremgår af kortet, er grænsen mod øst noget mere diffus. Interstate Highway 77 passerer gennem den østlige del af WNC og regnes ofte som grænsen, selv om det ikke er korrekt. I den nordlige del af området strækker WNC sig øst for vejen og i den sydlige del, når det ikke helt til motorvejen, men det er tæt nok på, til at man kan bruge det som tommelfingerregel. Mountainregionen længst mod vest er opdelt i tre områder, High Country, Tennessee Valley og The Foothills og den østligste del af WNC strækker sig som tidligere nævnt ind i piedmontregionen.

High Country er den nordvestligste del af WNC og området har sit centrum i Boone i Watauga County. I dette område såvel som i de to øvrige regioner i WNC findes er stort antal attraktioner, som jeg vil vende tilbage til, når jeg gennemgår de enkelte amter. High Country har nogle af North Carolinas bedste skiområder, så som Beech Mountain, Appalachian Ski Mountain og Sugar Mountain. Skiturisme er en væsentlig indkomstkilde i dette område, på lige fod med landbrug og dyrkning af juletræer.

Den sydvestligste del af WNC er kendt som **Tennessee Valley**, selv om vi stadig er i North Carolina; man befinder sig stadig i Mountainregionen og der refereres ikke til én konkret dal; derfor vil man af og til se området omtalt som "Land of the Sky" efter titlen på en roman af Frances Fisher Tiernan, der udgav

16

bogen under pseudonymet Christian Reid i 1876. Når området alligevel kaldes Tennessee Valley, skyldes det, at de fleste af floderne i dette områder løber ud i Tennessee River eller i bifloder til denne flod, og området er derfor under delsvis miljøkontrol af Tennessee Valley Authority (TVA). Den vigtigste by i området er Asheville i Buncombe County.

Foothillsområdet er et overgangsområde mellem bjergene mod vest og pied-montregionen mod øst. I Foothillsområdet falder landskabet fra højder på over 1.200 meter mod vest til kun omkring 450 m mod øst, selv om enkelte toppe er højere end det. Der er ikke noget egentlig centrum i The Foothills, men byer som Hickory, Morganton, Lenoir og Wilkesboro er lokale centre.

Guld, ædelsten og andre mineraler

Jeg er så langt fra geolog, så dette er ikke et afsnit om geologi som sådan, men handler primært om de mineraler, som findes i WNC.

Men lad mig alligevel lægge ud med at nævne at Appalacherne inclusive Blue Ridge Mountains, Great Smoky Mountains og andre bjergkæder i regionen, er nogle af de ældste bjerge i USA, hvilket er meget tydeligt, når man ser på hvor eroderede de er sammenlignet med fx Rocky Mountains, der "kun" er omkring 80 millioner gamle. Appalacherne er mindst 480 millioner år, og de er faktisk en del af samme bjergkæde som de såkaldte Anti-Atlasbjerge i Marokko, og de blev dannet, mens Amerika, Europa og Afrika var forenet i et enkelt superkontinent. Grundfjeldet i den sydøstlige del af Appalacherne består primært af granit og gnejs. Og det er så nogenlunde, hvad jeg kan fortælle om geologien i området, bortset fra at nævne, at nogle mindre forkastninger løber gennem regionen, med Brevard Forkastningszonen som den vigtigste, hvilket betyder, at der forekommer forholdsvis mange jordskælv. De fleste er dog så små (under 2 på MMS skalaen), at man slet ikke opdager dem uden en seismograf, og det seneste større jordskælv (indtil 2020) var i 1926. Det er kendt som Mitchell County jordskælvet og det nåede 5.2 på den skala, der kaldes Momentmagni-tude-skalaen (MMS), som har afløst i Richterskalaen i USA. Jordskælvet for-årsagede ikke nævneværdige skader bortset fra nogle væltede skorstene og vandrør, der knækkede. I 1916 blev regionen ramt af et jordskælv, der nåede 5,5 på momentmagnitude-skalaen. Dette jordskælv havde epicenter i nærheden af Waynesville og foråsagede ødelæggelser for mere end 3 millioner dollars (ca. 75 millioner dollars i 2020). Desuden forårsagede jordskælvet oversvømmelser i flere amter, fordi jordskred blokerede floder og andre vandløb. Men nok om det. Jeg har aldrig selv oplevet et jordskælv i området, i hvert fald ikke et, jeg har lagt mærke til, men den 8. august 2020 blev området ramt af et jordskælv, der nåede 5,1 på MMS skalaen, det kraftigste jordskælv i næsten 100 år. Dette jordskælv havde epicentrum omkring Sparta i Alleghany County, men forårsagede kun mindre materielle skader. Siden er har der været en række efterskælv på op til 2.0.

Guld

I 1799 blev der fundet guld i Cabarrus County øst for Mecklenburg County i piedmontregionen. Det var første gang, der blev fundet guld i USA, og det forårsagede landets første tilfælde af guldfeber, hvor mange strømmede til staten for at lede efter guld, og frem til 1848, hvor der blev fundet guld i Californien, var North Carolina den førende producent af guld i USA. Det meste guld blev fundet i piedmont regonen, men der blev også fundet mindre mængder guld i mountainregionen, og det er stadig muligt at få lov til at vaske guld visse stedet som en rekreativ aktivitet. Man kan også være heldig at finde guldstøv i nogle floder i bjergene, men her skal man have tilladelse til at "vaske", da det fleste steder ligger på privat grund, og det er ikke tilladt at lede efter guld og andre mineraler inden for grænserne af beskyttede områder som statsparker og nationale skovområder.

Mineraler og ædelsten

WNC er rigt på mineraler og ædelsten og det er muligt at finde både ædel- og halvædelsten mange steder, men der gælder samnme regler for at lede efter ædelsten, som gælder for guld. Der er mange mineral- og ædelstensminer, og i nogle af disse kan man få lov til at "vaske" mod betaling. Mange af disse "miner" ligger omkring Franklin i Macon County og Spruce Pine i Mitchell County, men de findes også mange andre steder i området. Jeg vil nævne nogle få af de "turistegnede miner", når jeg gennemgår de enkelte amter, men langt fra alle. Området omkring Spruce Pine er så rigt på mineraler, at byen går under navnet "Mineral City". "Spruce Pine Mining District" er kendt for at levere hovedparten af den højkvalitetskvarts, som bruges i de fleste af de mikroprocessorer, der produceres i USA og dette område regnes som et af de mest mineralrige i hele verden. Blandt de mineraler, der findes i WNC ud over kvarts, er asbest, feldspat, glimmer, kaolinit, kobber, korund, krom, lithium, marmor, tin og uran, selv om ikke alle disse mineraler udvindes.

Blandt de ædel- og halvædelsten der er fundet i WNC er akvamarin, ametyst, hiddenit, kyanit, rodolit, rubin, safir, smaragd, og zirkon. Desuden er der fundet nogle få diamanter i WNC, men ingen efter 1900.

Bjerge og floder

Som betegnelsen "mountainregionen" antyder, er området domineret af bjerge; bjerge der er mindre dele eller udløbere af den kæde, der er kendt som Appalacherne, og som strækker sig fra omkring Quebec i det sydlige Canada til Alabama. De to vigtigste kæder i WNC er Blue Ridge Mountains og Great Smoky Mountains. Blandt de mindre kæder er Black Mountains, Brushy Mountains, Great Balsam Mountains, Plott Balsams, Sauratown Mountains og South Mountains, men der er flere. I Black Mountains finder man Mount Mitchell, som med sine 2.037 meter er det højeste bjerg i USA øst for Mississippifloden. I WNC er der i alt 43 bjergtoppe, der er over 1.825 meter (6.000 fod) og 82 toppe når højder mellem 1.500 og 1.800 meter. Bjergpas i området kaldes "gaps" som fx Newfound Gap, et pas på US Route 441 på statsgrænsen mellem North Carolina og Tennessee i Great Smoky Mountains. Om vinteren er mange af disse pas lukkede på grund af snefald, men selv når de ikke er lukkede af sne, kan de være lukkede på grund af stærk vind, der kan være så kraftig, at selv store sættevognstog bliver blæst af vejen.

En stor mængde floder (og mange flere bække og endnu mindre vandløb) løber gennem området. Floderne French Broad River, Hiwassee River, Little Tennesssee River, Nantahala River, Nolichucky River, Oconalufteee River, Tuckasegee River, Watauga River og flere andre ender alle i Tennesseefloden, nogle via dennes bifloder, og dermed i den sidste ende i Den Mexicanske Golf via Mississippifloden. Det var på bredden af Nolichucky River i det nuværende Tennessee, men dengang North Carolina[3], at den berømte pelsjæger, soldat og politiker Davy Crockett blev født i 1786, men det var et sidespring. New River,

---

[3] Faktisk havde præcis dette område "løsrevet" sig fra North Carolina i 1784 for at danne sin egen stat, State of Franklin, men allerede i 1788 var området igen under North Carolinas kontrol.

som trods navnet regnes for én af verdens ældste floder, løber mod nord til Ohiofloden og dermed ender vandet fra denne flod også i Mississippi og Den Mexicanske Golf. Broad River, der altså ikke må forveksles med French Broad River[4], Catawba River, Saluda River og Yadkin River flyder mod øst gennem The Foothills og ender i den sidste ende i Atlanterhavet. Mange af disse floder anvendes til sejlads i kano og kajak, og ligeledes til badning. Flere af dem er også blandt de bedste steder til wild water rafting i det østlige USA.

Det forhold, at nogle floder løber mod vest, mens andre løber mod øst, indikerer, at der her er et vandskel, og dette er kendt som Eastern Continental Divide for at skelne det fra Continental Divide i Rocky Mountains. Indtil omkring 1760 udgjorde Eastern Continental Divide grænsen mellem de britiske og franske besiddelser i Nordamerika; de britiske øst for vandskellet, de franske vest for.

Klima og vejr

Det vestlige North Carolina ligger i en zone med fugtigt kontinentalklima, men på grund af bjergene kan man faktisk opleve tre forskellige klimazoner i området. I de lavere dele af WNC er klimaet i subtropisk, højere oppe bliver det tempereret og i de højeste områder hersker et subpolarklima, som man ellers skal til Canada for at finde.

Vejret kan skifte meget hurtigt i området; og selv inden for et forholdsvis begrænset område kan der være store forskelle. En dag kan starte uden en sky på himlen, og i løbet af en time kan der samle sig en voldsom tordenstorm, hvilket kan få temperaturen til at falde adskillige grader. Jo højere op i bjergene man kommer, jo koldere vil det typisk (men ikke altid) være, og man kan ofte opleve store temperaturforskelle mellem bjergene og lavlandet. I april 2019 oplevede jeg således en temperatur på -4 ° C og sne oppe på Blue Ridge Parkway, og da jeg nogle timer senere kom ned i lavlandet omkring byen Morganton var temperaturen 31 ° C; en forskel på 35 grader. Så sent som i maj 2020 kunne man opleve nogle dage med minusgrader og sne og slud i bjergene.

---

[4] Broad River hed oprindeligt English Broad River for at forhindre forveksling, men navnet er altså blevet reduceret i dag.

Forår:

Foråret er den årstid, hvor vejret skifter mest. Det kan skifte (som nævnt) fra minusgrader og snestorm til 20-25 grader (i samme højde) eller omvendt fra en dag til den næste. Normalt er forårsvejret mildt, men fugtigt. Gennemsnitstemperaturerne i marts, april og maj er henholdsvis 8°, 13° og 17° C. Den højeste forårstemperatur, der er registreret var 34 ° i maj 1996. Nedbøren ligger mellem 89 og 99 mm. Mest nedbør falder i marts, mindst i april.

Sommer:

Sommeren er den årstid, hvor jeg oftest har besøgt WNC, og det er ofte den årstid, hvor flest turister fra Europa besøger området, selvom der også kommer mange om efteråret for at nyde efterårsfarverne. Temperaturerne kan nå op omkring 30° i bjergene og noget højere i lavlandet. Gennemsnitstemperaturerne er 21 i juni og 23 i juli og august. Den højeste sommertemperatur, der nogensinde er målt var 37,2 i august 1983. Der falder mellem 76 og 83 mm nedbør, mest i august, mindst i juli.

Efterår:

Luften er normalt klar og frisk om efteråret i modsætning om sommeren hvor luften ofte er tung og meget fugtig. Temperaturerne er udholdelige, men kan skifte meget. Gennemsnitstemperaturerne er 19° i september, 13 i oktober og 8 i november. Den højeste temperatur, der er registreret var 35 grader i september 1954 og den lavest var -17 i november 1950. Efteråret er typisk den tørreste årstid med nedbørsmængder mellem 63 og 75 mm. Mest nedbør falder i september, mindst i oktober.

Vinter:

Om vinteren kan det blive ganske koldt, men er det langt fra altid. Når solen skinner, kan temperaturen selv om vinteren komme op omkring 15-16 grader. Gennemsnitstemperaturerne er 4, 2 og 4 i henholdsvis december, januar og februar. Den højest målte vintertemperatur var 27° i december 1951 og den laveste var i januar 1985, hvor temperaturen faldt til -27. Mest nedbør falder i februar med 81 mm, mindst i december med 66 mm.

Bemærk, at alle disse temperaturer er såkaldt meteorologiske temperaturer, hvilket betyder at de er målt under ideelle betingelser (ingen vind, ingen direkte sol og så videre). Når man befinder sig udendørs, kan temperaturen føles både varmere og koldere end det, der måles. De temperaturer, jeg har nævnt overnfor, er også gennemsnittet over et døgn, og der kan være store forskelle mellem dag- og nattemperatur. Jeg har oplevet temperaturer midt på en sommerdag (i juli 2018), der var omkring 40°, og om natten faldt temperaturen til kun godt 10°. Det er som nævnt også vigtigt at være opmærksom på, at vejret altså kan skifte meget hurtigt, og stort set uden varsel.

Ud over de normale skift i vejrliget optræder kraftige tordenstorme regelmæssigt, ikke mindst om sommeren. Om vinteren kan snestorme giver store mængder sne på kort tid. Der er eksempler på snestorme, hvor der er faldet mere end 150 cm sne på en enkelt dag. Husk også at North Carolina ligger i det område, der af og til hærges af tropiske lavtryk, selv om disse er værst ude ved kysten. Disse lavtryk giver selvfølgelig stærk vind (op til orkan), men det farligste er de store mængder nedbør, de fører med. De store vandmængder kan føre til oversvømmelser langs floderne samt mudder- og klippeskred i bjergene. I 2016 forårsagede kategori 5 orkanen Matthew en nedbørsmængde på 380 mm på få timer ved North Carolinas kyst, og selv om nedbøren var noget mindre i bjergene, gav det anledning til store oversvømmelser langs nogle floder, selv om Matthew på det tidspunkt var nedgraderet til kategori 1. Orkanerne Frances og Ivan i 2004 forårsagede jordskred, der lukkede Blue Ridge Parkway i lange perioder. Dele af vejen kunne først genåbnes i 2006, mere på side 56.

Man kan også opleve tornadoer i WNC hver år, selv om de ikke er så almindelige som i den berømte/berygtede "Tornado Alley" i midtvesten. Generelt er der flest storme i september mens månederne mellem december og marts sjældent oplever orkaner eller tornadoer. Hvis man befinder sig i området, når der er varsel om orkaner eller tornadoer, er det vigtigt at man lytter til instruktionerne fra myndigheder i radio, tv og andre medier. Ofte bliver de også "annonceret" på skilte ved motorvejene, hvor man så opfordres til at lytte til radioen på besteme kanaler. Selv har jeg aldrig været udsat for hverken orkaner eller tornadoer, men i april 2019 oplevede jeg to tornadovarsler. Den ene tornado blev tilsyneladende aldrig til noget, mens den anden slog ned omkring 45 km fra hvor jeg befandt mig og heldigvis i et ubeboet skovområde. I juli 2018 viste nogle af mine bekendte i området mig billeder af deres gård, efter at en tornado havde ramt dem om foråret, og havde forårsaget store ødelæggelser.

Flora og fauna

Variationen i klimaet mellem høj- og lavland betyder, at man i WNC kan finde planter og dyr, som normalt kun findes en del længere nord og syd for området. At gennemgå alle planter og dyr i området vil være umuligt i en guide som denne, og der er da også skrevet tusindvis af sider om det allerede. Derfor bare nogle få fakta om planter og dyr, som jeg selv finder interessante.

Planter:

I området kan man finde mere end hundrede forskellige arter af træer og endnu flere buske, såvel som blomstrende og grønne planter og græsser, så der er rigeligt at se på, hvis man er interesseret i botanik. Nogle er naturligt hjemmehørende i området, mens andre er indført bevidst eller ubevidst.

Om foråret blomstrer bærmispel og tulipantræer i de lavestliggende dele af området, hvor man også kan finde "chestnut oak", som ikke har et dansk navn, men hvis botaniske navn er quercus montana, som nærmest kan oversættes til "bjergeg". Som navnet antyder, er dette træ ikke medlem af kastanjeslægten, men er en art af eg. I de højereliggende områder finder man mere hårdføre træer som forskellige arter af birk, bøg og kastanje. I de højest beliggende områder er det nåletræer, der dominerer. Her kan man finde forskellige arter af blyantene, forskellige arter af fyr og gran samt østamerikansk hemlock. Rundt omkring i området, ikke mindst i de laveste og mellemhøje områder, kan man finde små enklaver af andre løvfældende træer spredt i skovene. Her finder man blandt andet amerikansk asp, elm, hickory, kirsebær, kornel, sassafras, skovtupelo og forskellige arter af ahorn.

De mange løvfældende træer skaber de efterårsfarver, som området er så berømt for. Bøg har gulbrune blade om efteråret, birk har gule, kornelblade bliver røde, rød ahorn bliver rødgule og så fremdeles. I Great Smoky Mountains National Park og omkring Blue Ridge Parkway, men også andre steder i såvel høj- som lavland, kan man opleve fantastiske farver, hvis man kan time sit besøg rigtigt, hvilket kan være vanskeligere end det lyder. Det er meget svært at forudsige, hvornår farvespillet vil være på sit højeste, og faktisk er det bedst, hvis man kan blive i området i hele efteråret, men mindre kan gøre det. På grund af de forskellige klimazoner i WNC er sæsonen for efterårsfarver forholdsvis lang, fra sidst i september til midten af november, men man er måske nødt til at køre op i bjergene eller ned i lavlandet for at opleve farverne. Under mit besøg i midten og slutningen af oktober i 2013, var farverne kun lige begyndt at udfolde sig og de "eksploderede" desværre ikke helt, før jeg måtte rejse hjem den 1. november. I 2015 besøgte jeg området i begyndelsen af november, og ved den lejlighed var farverne allerede ved at forsvinde igen, men hvis man rammer det rigtige tidspunkt, er det en meget smuk oplevelse.

De mest markante, blomstrende buske er de mange rododendron, som ses rubndt omkring i bjergene – ikke mindst langs med Blue Ridge Parkway. De blomstrer fra begyndelsen af juni til midten af juli. Der er forskellige arter af rododendron i området, hvilker medvirker til at gøre blomstringsperioden forholdsvis lang. De lilla varianter blomster først og de hvide sidst, men perioderne overlapper, så man kan se begge varianter samtidigt. Også azaleaer, der er beslægtet med rododendron, er naturligt hjemmehørende i området og pryder landskabet om foråret med farverige blomster fra hvid (sweet azalea) over gulorange og mørk orange til højrød (flame azalea).

Vilde blomster findes overalt og er repræsenteret med mange arter, så det er muligt at nyde blomstrende planter fra slutningen af marts til midten af november. Mest imponerende er blomsterrigdommen om foråret, Mere end 1.300 forskellige blomster vokser i WNC, blandt disse: anemoner, blodurt (der blev anvendt af lokale stammer til at farve tøj og andre ting), blåbær, gedeblad, håret solhat, treblad, vandnavle, vilde orkideer (fx fruesko), vilde violer og naturligvis en stor mængde blomster, der ikke har noget dansk navn, som fx beardtongue, "Black Eyed Susan", redbut, silverrod og altså mange andre.

En anden plante, der desværre ses mere og mere, ikke bare i dette område, men i store dele af det sydlige og østlige USA, er den invasive art kudzu, også kendt som japansk pilerod. Oprindeligt blev planten introduceret som prydplante, og som et effektivt middel mod erosion, og plantning af kudzu blev faktisk sponseret af den amerikanske regering. Uheldigvis har kudzu ingen naturlige fjender i Nordamerika, og i dag har planten spredt sig over det meste af det syd- og østlige USA, helt op til Pennsylvania og Illinois, og den er faktisk blevet fundet så langt nord på som Ontario i Canada. Kudzu er en slyngplante, der kan vokse op ad næsten alt oprestående som telefon- og elmaster, bygninger, broer og

24

ikke mindst træer. Planten er hurtigtvoksende (rankerne kan gro mellem 18 og 20 meter om året, og den er så tung og dens løv så tæt, at den ødelægger den naturlige plantevækst i de områder, hvor den breder sig. United States Forest Service estimerer at den spreder sig med en hastighed af omkring 10 km^2 om året, mens andre kilder siger helt op til 600 km^2. Planten er meget svær at bekæmpe, og der eksperimenteres hele tiden med nye metoder. Afgræsning af områder i flere år af geder eller lamaer har en vis effekt, og det samme har tilsyneladende en ny metode, hvor man sprøjter med et sprøjtemiddel, der indeholder et giftstof udvundet af en bestemt svamp, som synes at påvirke kudzu, men som ikke påvirker andre planter nævneværdigt. Kudzu kan anvendes til forskellige formål, fx dyrefoder, kurvefletning, medicin og fibrene kan anvendes til fremstilling af tøj og papir. De smukke, lilla blomster anvendes af og til til fremstilling af marmelade. Når man først ser et område, hvor kudzu gror på træer, kan det faktisk se ganske smukt og helt skulpturelt ud – men planten er altså alligevel uønsket.

Dyr:

Hvis der er et varieret planteliv i området, gælder det i lige så høj grad for dyrelivet. Desværre er det ikke altid lige så let at få øje på dyr som på planter, bortset fra de dyr, man finder trafikdræbt langs vejene, men de er ikke så behagelige at se på. Mange dyr er sky og gemmer sig for mennesker, og jeg må indrømme, at jeg kun selv har set er par håndfulde eller tre af de dyr, jeg omtaler i dette afsnit.

Den *amerikanske sortbjørn* (der kan have mange andre farvenuancer end sort) er det største dyr i området, og man skal holde god afstand, hvis man møder en bjørn. Normalt er de sorte bjørne ikke specielt aggressive, men det kan de være, hvis de er sultne, føler sig truede eller hvis en hunbjørn har unger. Der er ikke mange bjørne tilbage i området, og de ses sjældent, men jeg har én enkelt gang set en bjørn forsvinde ind i skoven, da jeg kørte forbi en lysning en tidlig aften, og nogle af mine bekendte i området, har filmet bjørne med et vildtkamera, de har sat op i skoven bag deres hjem.

Rødlosser (bobcat) er lidt mindre end deres slægtninge, den almindelige los, og de er om muligt endnu mere sky end bjørnene. Jeg har da heller aldrig set en, bort set fra i zoologiske haver. *Prærieulve* er blevet (lidt for) almindelige i området. Her er der tale om den såkaldte østlige prærieulv, der er noget større end sin vestlige slægtning. DNA undersøgelser har vist, at disse østlige prærieulve på et tidspunkt har krydset sig såvel med "rigtige" ulve som med tamhunde. Prærieulvene spiser typisk hjorte og andet vildt, men er der mangel på det, tager de gerne til takke med lam og kalve, hvorfor de er uønskede i området. For at beskytte produktionsdyrene mod prærieulvene udsætter mange landmænd æsler eller lamaer på marker sammen med køer og får, som "vagter", da disse dyr er meget territoriale og vil "gøre anskrig", hvis en prærieulv kommer i nærheden, og et velrettet spark fra et æsel, kan sagtens tage livet af en prærieulv. I flere af områdets byer oplever beboerne at prærieulve kommer helt ind i haverne, og her kan man ikke holde æsler eller lamaer, så i stedet forsøger man typisk at fange prærieulvene i fælder og så sætte dem tilbage i mere naturlige omgivelser i bjergene. Selv har jeg kun set prærieulve ved en enkelt lejlighed, hvor en mor med to halvstore hvalpe krydsede vejen foran min bil. Et dyr, som jeg til gengæld ofte har set, er det *hvidhalede rådyr* (Virginia Deer), som findes overalt i området, og jeg har også set både røde og grå ræve. *Pungrotter* (opossums) har jeg kun set en enkelt gang, men de findes mange steder. *Bæltedyr* har jeg kun set, når de ligger i vejsiden, dræbt af biler (mere på side 203). I øvrigt er bæltedyret en invasiv art i WNC, men tilsyneladende gør de ikke nævneværdig skade på det naturlige dyreliv.

Vaskebjørne, flododdere, bævere, murmeldyr, stinkdyr, egern, flyveegern, forskellige arter af *flagermus, mink* og *væsler* er andre pattedyr, man kan møde i området, hvis man er heldig nok og er på det rigtige sted på det rigtige tidspunkt, eller har tid nok til at vente på dem. *Rødulven* er tilsyneladende uddød i WNC. En flok rødulve blev udsat i Great Smoky Mountains i 1990'erne, men ungerne havde svært ved at overleve, og sandsynligvis er der ingen ulve tilbage. Et andet stort dyr, jeg derimod har set flere gange, er *wapitihjorten*, en stor kronhjort, som især ses i den sydlige del af området omkring Great Smoky Mountains National Park, og jeg har ofte selv set dem omkring Cherokee i Swain County. Jeg har til gengæld aldrig set *vildsvin* (selv om jeg har spist dem). I virkeligheden er der tale om tamsvin, som i sin tid er undsluppet fra farme, og hvis efterkommere nu har levet i naturen i mange generationer og er blevet helt vilde.

Det sidste pattedyr, jeg vil nævne, er et dyr, som formodes at være uddødt i området, nemlig den *østlige puma* (eller panter, som dyret kaldes lokalt). På trods af at biologer altså mener, at dyret er uddødt i området, er der hvert år mennesker, der rapporterer til myndighederne, at de har set en puma. Da pumaer mest ses i de mørke timer, er det muligt at man forveksler dem med rødlos, selv om pumaen er en del større, men det kan også være dyr, der kommer til fra andre dele af landet, eller måske er der faktisk en population, som har formået at holde sig skjult i øde områder af bjergene. De bekendte, som havde sat vildtkameraer op for at filme bjørne, vist mig faktisk et videoklip med et dyr, som grangiveligt lignede en puma.

Krybdyr findes i stort tal. I North Carolina findes 37 forskellige arter af slanger, hvoraf 20 lever i WNC. Af disse er kun to giftige, selv om nogle mennesker mener at have set en eastern diamondback rattlesnake, den største af alle klapperslanger, men officielt lever disse meget længere mod øst, og deres tilstedeværelse er aldrig blevet officielt bekræftet i WNC. En af de to bekræftede giftige slanger er *skovklapperslange* (timber rattlesnake). Denne slange er meget giftig, men ikke særligt aggressiv. Som de lokale siger, vil den hellere "hide than bite", altså skjule sig, og den bider kun, hvis den føler sig truet, eller hvis man ligefrem træder på den. Den anden giftslange er den såkaldte *copperhead*. Også den er ret giftig men endnu mindre aggressiv end sin "kollega". Selv hvis man træder på en copperhead vil den typisk i første omgang give en et såkaldt "tørt bid", som advarsel og for at få en til at gå væk. Et tørt bid er et bid, hvor der ikke sprøjtes gift ind i offeret; unge copperheads (som udklækkes fra medio august til primo oktober) kan dog ikke kontrollere dette, så hvis man bliver bidt af en slange, bør man under alle omstændigheder søge lægehjælp uanset hvilken art, der er tale om.

Selv prøver jeg at holde mig væk fra alle slanger, giftige som ugiftige, selv om nogle af dem kan være ganske smukke, som fx scarlet kingsnake (der kan forveksles med den meget giftige koralslange, som dog ikke findes så langt vest på i staten som WNC). Skulle man møde en slange med røde, gule og sorte farver, kan man huske forskel på de to slanger på denne måde: *"Red touches black, it's a friend of Jack. Red touches yellow, will kill a fellow"*; så læg mærke til, hvilke farver, der grænser op mod hinanden. Også eastern king snake er nydelig. Andre ugiftige slanger er strømpebåndssnogen, black rat snake, corn snake og rough green snake. Ingen af sidstnævnte har danske navne.

Ud over slanger er der også andre krybdyr i området, så som fx firben og skildpadder. Blandt de sidstnævne er den såkaldte *østlige æskeskildpadde* den eneste landlevende skildpadde i WNC. Denne skildpadde er statsreptil i North Carolina. Jeg har ved flere lejligheder set æskeskildpadder, der krydsede vejen foran mig, og så må man bare have tålmodighed og vente til de er væk. Alle andre skildpadder, der findes i WNC tilbringer deres liv, eller i hvert fald en stor del af det, i vandet. Blandt disse er *common snapping turtle*, en stor skildpadde, der kan veje op til 15-20 kg, *common musk turtle*, *bog turtle* og *painted turtle*, men der er flere.

Jeg vil ikke nævne andre krybdyr og vil heller ikke komme ind på padder, snegle og eller andre bløddyr og heller ikke fisk, da jeg ikke finder dem særligt interessante – jeg beklager overfor alle lystfiskere, som jeg dog kan glæde med, at det er muligt at fange blandt andet *malle* (catfish), *regnbueørred* og *bækørred*, og der findes et museum for "fluefiskeri" i Bryson City! Jeg bør dog også nævne, at WNC regnes for det område i USA, der har flest arter af *salamandre* og at der i vandløbene findes mere end femten forskellige arter af *krebs*.

Der er mindst 40 arter af *edderkopper* i WNC. De fleste er ganske uskadelige med mindre man får hovedet viklet ind edderkoppespind på en smal sti i skoven, men der er faktisk to giftige edderkopper. Den ene er *den sorte enke* (helt præcis den art der kaldes "southern black widow"). Denne edderkop er meget giftig, men kun hunnen er farlig for mennesker. Giften er en nervegift, der giver smerter, opkastning, svedafsondring og muskelstivhed. Bid med dødelig udgang er meget sjældne blandt raske, voksne mennesker. Normalt vil symptomerne forsvinde efter fem til syv dage. I gennemsnit bliver hvert år i hele USA omkring 2.200 mennesker bidt af en af de fire arter af sort enke, som findes i landet, men der er ikke konstateret dødsfald siden 1983. Den anden giftige edderkop, der findes i WNC, kaldes *brown recluse*. Også denne er meget giftig, men den er ikke særligt aggressiv, og i de seneste år er der ikke registreret tilfælde, hvor mennesker er blevet bidt. Denne edderkop har så korte hugtænder, at den stort set ikke kan bide igennem nogen form for påklædning. Giften er en blodgift, og hvis man alligevel bliver bidt vil man formodentlig ikke mærke noget til at begynde med, men efterhånden kan der udvikle sig symptomer som feber, kvalme, udslæt og muskelsmerter og der kan opstå nekrose omkring bidstedet. Under alle omstændigheder bør man altid søge medicinsk assistance, hvis man bliver bidt af en edderkop.

Efter nu at have skræmt læserne med denne snak om giftige slanger og lige så giftige edderkopper, må jeg indrømme, at bortset fra en copperheadslange, der krydsede vejen foran min bil ved en enkelt lejlighed, har jeg aldrig mødt hverken giftslanger eller giftige edderkopper. Jeg vil dog anbefale at man holder sig væk fra den slags, hvis man får øje på dem, og lad være med at stikke hænder eller fødder ind i hule træer eller i huller under klipper. Skal man ud at vandre i skov- eller bjergområder uden for stierne, kan det anbefales at man er iført lukkede sko, lange bukser og tilsvarende skjorter/bluser, hvilket også kan være en fordel af andre årsager, se afsnittet Påklædning på side 219.

Der er masser af insekter i WNC, og de, jeg holder mest af, er sommerfugle og guldsmede, mest fordi de er så farvestrålende og nemme at få øje på. De kan dog være svære at fotografere, da de ikke sidder stille ret længe ad gangen. Et andet spændende insekt i området er ildfluerne (forskellige arter af biller), som der er mange af i området. Bare i Great Smoky Mountains lever 19 forskellige arter. Der arrangeres simpelthen ture ind i nationalparken, hvor man kan nyde "fluerne", typisk fra slutningen af april til midten af maj, den periode, hvor de "sværmer". Disse ture er meget populære, og man skal være hurtigt ude for at få billet. Men mindre kan gøre det. Bor man ude på landet, kan man bare sætte sig til rette uden for en mørk aften og betragte de små lysglimt som ildfluerne afgiver – også i lavlandet, selv om der ikke er så mange som oppe i bjergene. Det har jeg selv haft glæde af, også helt hen i juli.

Jeg må advare mod et andet insekt, myggen, som forekommer i stort antal omkring søer og vandløb, ikke mindst sommer og efterår. De stikker og er i det hele taget ubehagelige. Hvis man vil besøge steder med vand, og vil begrænse mængden af stik, kan det være en god ide at holde øje med guldsmede, som æder myg i store mængder – så er der mange guldsmede, er der ofte færre myg. Også visse flagermus æder myg, men da de sjældent er ude om dagen, kan det være svært at vide, om de har ædt myggene. Et andet stikkende insekt er kendt som No-see-ums, fordi de er så små, at man ikke ser dem, men det gør ikke deres stik mindre ubehagelige. Jeg anbefaler derfor, at man medbringer insekt-afvisende midler – og måske noget kløestilnende, hvis der er er nogle af insek-terne, der ikke forstår budskabet om at holde sig væk.

Og så var jeg lige ved at glemme et insekt, som man sjældent ser, men hører så meget desto mere. *Cikader*! Cikader kan være særdeles støjende og nogle cika-der kan præstere et lydtryk på op til 120 decibel og hvis man er tæt på disse cikader i længere tid, kan de faktisk skade hørelsen. Så tæt på har jeg dog endnu ikke været. WNC er hjemsted for flere forskellige arter af cikader, herunder de såkaldte periodiske cikader, som der findes to slags af; én med en periode på 13 år og en anden med en periode på 17 år. En 17-års cikade har denne livscyklus: Når nymferne udklækkes fra æg, der er fastgjort på grene, falder de til jorden, hvor de graver sig længere og længere ned i jagten på føde, indtil de når en dybde på næsten tre meter. Efter 17 år graver de sig op igen, stort set alle på samme tid i slutningen af april eller begyndelsen af maj. De lever kun nogle uger og i den tid parrer de sig, lægger æg og dør, og så starter cyklussen forfra. Der er fem kuld i WNC. Et kuld blev udklækket i 2017, det næste kommer i 2021. Derefter kuld i 2025, 2029, 2030, og så kommer 2017-kuldets afkom igen i 2034 og så fremdeles. Så hvis du vil opleve 17-års cikader, ved du hvornår du skal tage af sted.

Til sidst lidt om nogle af de mange fugle, man kan se i området. Der er mange arter, og de er typisk de nemmeste dyr at få øje på, ikke mindst de større fugle, mens de mindre er gode til at skjule sig i vegetationen, så man kun hører dem. De nemmeste at spotte er rovfuglene, som fx den største rovfugl, den *hvidho-vede havørn*, som er USA's nationalfugl. Også *fiskeørnen* er er en forholdsvis stor fugl. Den mest almindelige rovfugl i området er den såkaldte *rødhalede høg*, der er så almindelig, at en af de gamle cherokeeklaner er opkaldt efter den. Andre rovfugle, man kan se i området, er *rødskuldret musvåge, vandrefalk, jagtfalk,* og nogle arter af *glenter.* Deuden forskellige arter af *ugler,* blandt an-dre *stor hornugle.* Forår og efterår er området et yndet sted for ornitologiinte-resserede, da mange rovfugle migrerer gennem WNC. Også to ådselsædere er almindelige, nemlig *kalkungribben* og den *sorte grib.* Dem kan man ofte se svæve over landskabet på udkig efter føde eller siddende i vejsiden, hvor de gør sig til gode med trafikdræbte dyr.

Vilde kalkuner ses i det meste af området, og selvfølgelig mange andre fugle som *ravne, krager, skader, blåskader* m.fl.. Min favorit blandt de mindre fugle er *isfuglene*, som der findes flere arter af. De ses ofte nær ved mindre vandløb. Også *kolibrierne* er smukke, hvis man altså kan få øje på dem – og selvfølgelig alle de mange sangfugle, som der er for mange af til at nævne her. Ud over kalkunerne er der andre hønsefugle i området, så som *vagtler* og *agerhøns*. Desuden adskillige arter af andefugle, og blandt disse synes jeg bedst om *brudeanden* på grund af hannens spændende udseende. *Stor blå hejre, sølvhejre, snehejre, grøn hejre* og andre hejrer ses også i området, og jeg kunne blive ved på den måde, men hvis man vil vide mere om fuglelivet i WNC kan man finde lange lister på internettet.

Beskyttede naturområder

Det vestlige North Carolina har fem beskyttede naturområder. Blue Ridge Parkway, som er et sådant område, får sit eget afsnit senere i bogen og Great Smoky Mountains National Park vil blive beskrevet, når jeg kommer til Swain County under gennemgangen af de enkelte amter. Ud over disse to områder ligger tre nationale skovområder helt eller delvist i North Carolina.

Nantahala National Forest med er areal på 215.000 hektar dækker dele af syv amter, Cherokee, Clay, Graham, Jackson, Macon, Swain og Transylvania. Skoven omfatter tre såkaldte Wilderness-områder: Ellicott Rock Wilderness på grænsen mellem North Carolina, South Carolina og Georgia. Knap 1.600 hektar ligger i WNC. Southern Nantahala Wilderness dækker omkring 4.500 hektar i North Carolina. Joyce Kilmer-Slick Rock Wilderness dækker 5.250 hektar. Wilderness-områder er de mest beskyttede naturområder i USA. Menneskelig aktivitet er begrænset til rekreative formål og forskning. Intet mekanisk udstyr så som maskiner, biler, motorcykler eller cykler er tilladt. Man må kun færdes til fods eller på hesteryg. Navnet Nantahala kommer fra et ord på cherokeesproget, der betyder "middagssolens land", fordi solen kun når ned i bunden af de snævre kløfter ved middsagstid.

Pisgah National Forest lidt længere mod nord er noget mindre (omkring 207.000 hektar), men omfatter områder i 12 amter: Avery, Buncombe, Burke, Caldwell, Haywood, Henderson, McDowell, Mitchell, Watauga og Yancey.

Linville Gorge Wilderness-området ligger inden for grænserne af Pisgah National Forest, og det samme gør Brown Mountain og Linville Caverns. Selv om navnet lyder og er fremmed, stammer det ikke fra et indiansk sprog, men fra hebraisk. Ordet bruges i Biblen om det bjerg, fra hvilket Gud viste Moses det land, han havde lovet jøderne, men som Moses selv aldrig ville komme ind i. Mount Pisgah er navnet på et bjerg i Haywood County og den bibelske by Nebo har også en navnefælle i området, nemlig det såkaldte "unicorporated community" Nebo i McDowell County.

Cherokee National Forest dækker et område på 265.000 hektar, men heraf ligger størstedelen i Tennessee og kun en lille del ligger i Ashe County i WNC.

Vindyrkning i det vestlige North Carolina

Traditionelle afgrøder som majs, tomater, ferskner, æbler og pærer foruden meloner og andre landbrugsprodukter dyrkes stadig i den vestlige del af staten, både i High Country og i Foothillsområdet. I mange år var tobak den væsentligste afgrøde, ikke mindst i den østlige del af området. I dag er der ikke mange tobaksplantager tilbage i WNC om overhovedet nogen. Nogle landmænd har fundet nye afgrøder at dyrke, mens andre har solgt deres jord gennem et program, hvor føderale myndigheder opkøbte tobaksplantager og nedlagde dem.

En afgrøde, der har afløst tobak mange steder, er vin. Klimaet i WNC og piedmontregionen er velegnet til vindyrkning; både lokale amerikanske sorter (vitis labrusca), men især europæiske sorter (vitis vinifera) dyrkes i området.

Antallet af vinerier i North Carolina stiger støt og i 2019 var der flere end 200. Alene i mountainregionen er antallet af vinerier steget fra omkring 30 i 2014 til 45 i 2019. De fleste vinerier og vingårde findes i piedmontregionen med omkring 85 vinerier. Mere end 60 af disse ligger i den vestligste del af regionen. Når jeg gennemgår de enkelte amter, vil jeg nævne nogle få af vinerierne, men langt fra dem alle. Dertil er der simpelthen for mange, og jeg har kun besøgt et fåtal af dem selv.

Yadkin Valley har sit eget AVA (American Viticultural Area – et anerkendt vinområde); det første anerkendte AVA i North Carolina fra 2003, med omkring 20 vinerier i den del af AVA'et, der ligger i WNC. Inden for grænserne af Yadkin Valley AVA ligger Swan Creek AVA med syv vinerier. I den nord-vestlige del af WNC finder man statens nyeste AVA, Appalachian High Country AVA (til dels i Tennessee og Virginia), der blev godkendt i 2016. AVA'et omfatter fem amter i WNC med 8 vinerier. I den sydvestlige del af WNC ligger Upper Hiwassee Highlands AVA, som delvis ligger i Georgia. Fem vinerier i dette AVA ligger inden for grænserne af WNC. Lige uden for WNC finder man Haw River Valley AVA, og en stor mængde vin dyrkes og fremstilles på vinerier, der ligger uden for de godkendte AVA'er. Ud over vinerierne, som fremstiller vin er der 4-500 vingårde, som ikke selv producerer vin, men som dyrker druer, og så sælger dem til vinerierne. Det meste af den vin, der produceres i området sælges lokalt eller via vineriernes web-shops. Stort set intet eksporteres ud af USA.

De vine, jeg har smagt, strækker sig fra "drikkelige" til "fremragende", og jeg har endnu ikke smagt en vin, der var udrikkelig. Jeg vil dog anbefale, at man prøver dem selv, da smag og behag jo er forskellig, og det jeg synes om, er ikke nødvendigvis det samme som andre synes om. De fleste vinerier tilbyder smagninger, nogle gratis, men de fleste mod et beskedent gebyr, men prøv ikke for mange pr. dag - ellers ender man bare med at komme til at køre i påvirket tilstand, selv om man spytter det meste ud igen – og det er aldrig en god ide. Se også afsnittet om Færdselsregler og kørsel på side 199.

Mennesker og lidt til

*Jeg vidste ikke, hvad jeg skulle kalde dette afsnit, da det dækker over flere for-
skellige emner. Overskrifter som "Befolkning" eller "Demografi" lød for kli-
niske og "Indbyggerne" lød heller ikke rigtigt. I stedet valgte jeg altså denne
overskrift, da emnerne på én eller anden måde handler om mennesker, men jeg
kommer også ind på andre ting.*

I alt bor der omkring 1,4 millioner mennesker i WNC; de fleste af dem i små
byer og mindre landsbyer og i såkaldt "unincorporated communities". Befolk-
ningen i WNC udgør kun 14 % af befolkningen i hele North Carolina, mens
arealet udgør næsten 25% af statens areal. Af de 1,4 millioner indbyggere bor
næsten halvdelen i kun fem af de 28 amter, som officielt udgør området, så
resten af området er forholdsvis sparsomt befolket. Det opdager man, når man
kører rundt i de landlige områder, hvor man ikke møder mange mennesker.

88 % af befolkningen er hvide, hvilket er en del mere end i North Carolina som
helhed, hvor andelen af hvide udgør 65 %. De resterende 12 % er fordelt på
afro-amerikanere, asiater, mennesker af spansk afstamning (hispanics) og op-
rindelige amerikanere[5].

Økonomisk går det ikke specielt fremragende i området, selv om enkelte amter
klarer sig fint. Appalachian Regional Commission (ARC), som er et samarbejde
mellem de føderale myndigheder og de 13 stater, der har områder i Appala-
cherne, arbejder på at forbedre de økonomiske og generelle levevilkår for de
mennesker, som bor i området. ARC arbejder med fem økonomiske kategorier:
"distressed" (kriseramt), "at-risk" (i farezonen), "transitional" (overgangs-
zone), "competitive" (konkurrencedygtig), og "attainment" (kompetent). Intet
amt i WNC er i den bedste kategori. To amter er "competitive", Henderson og
Polk, syv er i kategorien "at-risk": Alleghany, Cherokee, Graham, Mitchell,
Rutherford, Swain og Yancey. De resterende amter er i kategorien "transition".
Siden 2017 er Graham County "avanceret" fra "distressed" til "at-risk", og
McDowell er blevet forfremmet fra "at-risk" til "transition", så det går fremad,
men ikke for alle. Alleghany er således i den samme periode blevet flyttet fra

---

[5] Denne opdeling af befolkningen efter oprindelse er ikke min egen, men er den, som
bruges af United States Census Bureau.

34

"transitional" til "at-risk" og Buncombe er flyttet fra "competitive" til "transitional".

Amter og "townships"

Et county er et uafhængigt, administrativt område inden for en stat – bortset fra Louisiana, der i stedet for "county" anvender begrebet "parish" (sogn). Det administrative centrum for et county kaldes "county seat", og her i bogen bruger jeg udtrykket "amtssæde" for disse byer. Amtssæder kan være store eller små. Chicago med 2,6 millioner indbyggere er således amtssæde i Cook County i Illinois, mens Danbury, amtssæde i Stokes County i North Carolina har færre end 200 indbyggere.

Oprindeligt var der få, men meget store amter i North Carolina som i mange andre stater. Faktisk var der i begyndelsen slet ingen opdeling af de britiske kolonier i amter, men det kom efterhånden, og de fleste af de amter, der fandtes lige efter selvstændigheden, havde derfor deres rødder tilbage i kolonitiden. Det første amt, der blev oprettet i North Carolina, var Albemarle County i den østlige del af staten i 1664. Dette amt eksister ikke længere, da det allerede i 1668 blev opdelt i fire nye amter. Disse fire amter, Chowan, Currituck, Pasquotank og Perquiman er således de ældste eksisterende amter i North Carolina. De to yngste amter er Hoke County og Avery County, som begge blev oprettet i 1911. Af disse to ligger Hoke i den centrale del af staten, mens Avery ligger i WNC. Jeg vil ikke senere i bogen gå i detaljer med, hvor de enkelte amter er opstået, men vil nøjes med at give et eksempel her.

Burke County blev oprettet i 1777, da området blev skilt ud fra Rowan County. Rowan County var selv i 1753 blevet skilt ud fra Anson County, som var blevet oprettet i 1750 ved at blive skilt ud fra Bladen County. Bladen County var blevet udskilt fra Bath County i 1734, og Bath var blevet oprettet i 1696 – uden at være udskilt fra et tidligere amt. Bath County blev helt nedlagt i 1739, men hovedbyen i amtet, Bath, eksisterer stadig, nu i Beaufort County, og regnes som North Carolinas ældste by. Efterhånden som befolkningstallet voksede i Burke County, blev det for vanskeligt at administrere og i 1791 blev dele af amtet slået sammen med dele af Rutherford County, og Buncombe County blev oprettet. I 1833 blev flere dele af Burke County udskilt og slået sammen med dele af det

forholdsvis nye Buncombe County og dermed var Yancey County en kendsger-
ning. I 1841 blev dele af Wilkes County forenet med endnu mere af Burke
County for at danne Caldwell County. Allerede et år senere, i 1842, blev Burke
County igen reduceret og slået sammen med flere dele af Rutherford County og
McDowell County var skabt. I 1862 blev Burke County så ændret for sidste
gang (indtil videre), da dele af det, der var tilbage, blev slået sammen med dele
af Caldwell, McDowell, Watauga og Yancey County for at skabe Mitchell
County. Mere om Burke County på side 91.

De fleste af de andre ældre amter har undergået tilsvarende ændringer. Mange
amter har også fået deres amtsgrænser flyttet senere, uden at der dog er opstået
nye amter af den grund. Alle disse ændringer har betydet, at nogle mennesker
kunne nå at bo i to, tre eller fire amter uden nogensinde at flytte.

I dag er der 100 amter i North Carolina og denne guide dækker som tidligere
nævnt 32 af disse. Amterne har en vis grad af selvstyre, som er forholdsvis høj
i North Carolina sammenlignet med andre stater, men der findes faktisk også
stater, hvor autonomien er endnu stærkere, da det er den enkelte stat, der be-
stemmer, hvilke beføjelser og hvilke opgaver, der skal delegeres til statens am-
ter – også hvordan disse amter skal administreres. I to stater, Rhode Island og
Connecticut, har amterne slet ikke selvstyre.

Amterne i North Carolina styres af en County Commission, men hvordan man
vælges til dette råd varierer fra amt til amt. Amterne er delt op i valgdistrikter,
og i nogle amter skal en kandidat bo i det distrikt vedkommende stiller op i; i
andre amter kan alle, bare de bor et sted i amtet, stille op i det valgdistrikt, de
ønsker. En kandidat kan dog kun stille op i et enkelt distrikt. I de fleste amter
ansætter amtsrådet en County Clerk, som, trods den beskedent lydende titel, er
amtets øverste embedsmand og ansvarlig for amtets administration. I andre am-
ter ansættes denne County Clerk ikke, men vælges ved almindelige valg, lige-
som også andre embedsmænd kan være valgt og ikke ansat, fx sherif, ligsyns-
mand, skatteopkræver og flere andre. Alle amter skal have en juridisk rådgiver,
en County Attorney. I nogle få amter arbejder denne jurist fuld tid for amtet og
kun for amtet, men i de fleste amter er County Attorney et privat advokatfirma,
der kun arbejder for amtet, når der er behov for det, og har andre klienter ved

siden af, på samme måde som det er tilfældet med Kammeradvokaten i Danmark.

Amterne er inddelt i nogle såkaldte "townships", mindre enheder, som i gamle dage havde en vis grad af administrativt selvstyre inden for amtet. Selv om det stadig er sådan i andre stater, er det ikke længere tilfældet i North Carolina, hvor opdelingen i townships i dag kun er en geografisk opdeling af amtet. Antallet af townships varierer meget fra amt til amt, men da de ikke har nogen praktisk betydning, vil jeg ikke gå dybere ned i begrebet, selv om jeg af til nævner dem.

Byer og det, der ligner

I denne guide kunne jeg bruge forskellige betegnelser for beboede steder, så som byer, landsbyer og bebyggelser, hvilket er nogenlunde det samlede antal betegnelser, vi normalt bruger på dansk, bortset fra det gamle ord "flække", som i dag mest anvendes nedsættende om mindre byer, men som oprindeligt var en betegnelse for en by som havde visse rettigheder, der mindede om en købstad, men i mindre omfang. Fx var Christiansfeld og Højer i Jylland og Nordborg på Als flækker. I USA er det dog noget anderledes.

I USA vil man se betegnelser som city, town, hamlet, village, settlement, unincorporated community og census designated place, og de dækker alle noget forskelligt. Det officielle WNC har kun to byer med mere end 40.000 indbyggere, og begge disse er betegnet som city. Det er Asheville med ca. 87.000 indbyggere og Hickory med 41.000. Derud over har 8 byer med mellem 10 og 40.000 indbyggere betegnelsen city, og så der der en hel del med færre end 10.000 indbyggere. De to "ekstra" byer uden for WNC, som beskrives senere i dette kapitel er også begge cities. Andre bliver omtalt under deres respektive amter.

Selv om man ikke direkte kan sætte antal beboere på, da det varierer fra land til land, kan man normalt gå ud fra at en city er større end en town, som (ofte) er større end en hamlet, der er større end en village, som igen er større end et "unincorporated community" og så fremdeles. Der er dog undtagelser i nogle stater. Fx er Paradise i Nevada (sammenvokset med Las Vegas), et unincorporated community med mere end 220.000 indbyggere. I North Carolina er det imidlertid de enkelte bystyrer som selv bestemmer, hvordan deres by skal benævnes (dog ikke unincorporated communities, der ikke har et bystyre og hvis betegnelse derfor defineres af amterne). Det betyder, at både towns og villages kan være større end cities, hvilken kan virke noget forvirrende, og ikke alle byer, der hedder noget med "City", er klassificeret som en sådan; et eksempel er Bryson City i Swain County, der er klassificeret som "town". Et par andre eksempler er Fletcher i Henderson County, der er en "town" med 7.000 indbyggere, mens Flat Rock i samme amt er en village med 3.100 indbyggere. Til gengæld er Saluda – også i samme amt - en city med kun 700 indbyggere.

Et unincorporated community er et beboet område, der hverken har et selvstændigt bystyre eller styres af bystyret i en anden by, men kontrolleres direkte fra amtet. Der er dog en enkelt undtagelse til denne regel – det skal jo ikke være for nemt. Cherokee i Swain County med 2.100 indbygere er et unincorporated community, der styres af The Cherokeee Tribal Council – Cherokee stammens stammeråd, ikke af amtsstyret i Swain. Union Grove med over 2.000 indbyggere er også unincorporated og styres af amtsrådet i Iredell County. Forvirret? Det er jeg faktisk ofte selv.

Et "census-designated place" er et område med en vis befolkningskoncentration, men uden nogen form for styre, som af statistiske grund tælles samlet i de folketællinger, der gennemføres hvert tiende år i USA. Et census-designated place kan være et unincorporated community, men kan ikke være en city eller en town. Balfour i Henderson County er et census-designated place med omkring 1.800 indbyggere, mens Fruitland i samme amt er såvel et census-designated place som et unincorporated community med en befolkning på ca. 2.000.

For ikke at gøre forvirringen total, har jeg valgt at beholde de engelske betegnelser i denne guide.

To byer uden for WNC

I dette afsnit bevæger jeg mig uden for WNC for kort at beskrive to større byer, som ligger lige uden for området, men som jeg af forskellige grunde synes er interessante.

Charlotte

Charlotte er den største by i North Carolina med næsten 900.000 indbyggere, og hvis man medregner hele metroområdet, er befolkningstallet 2,5 millioner (hvoraf en del bor inden for det område, som denne guide dækker). Byen siges at være den tredjehurtigst voksende by i USA (og den er i øvrigt klassificeret som "city"). Charlotte ligger i Mecklenburg County, som er nabo til Gaston County, se side 104. Byen er opkaldt efter Prinsesse Charlotte af Mecklenburg-Strelitz, som senere blev dronning af England og Irland, da hun blev gift med George III. Byen er hjemsted for mange museer og andre attraktioner, men har hverken akvarium eller zoologisk have. Faktisk er Charlotte det største metro-område i USA uden en zoo. Hvis man er til sport, er Charlotte hjemsted for National Football League (NFL) holdet Carolina Panthers, National Basketball Association (NBA) holdet Charlotte Hornets, Major League Lacrosse (MLL) holdet Charlotte Hounds, og fra 2021, når franchisen udvides, også et Major League Soccer (MLS) hold, hvis navn endnu ikke er endeligt bestemt. Desuden har byen hold i lavere rangerende rækker i ishockey, baseball og fodbold (soccer).

Den vigtigste grund til, at Charlotte er interessant for besøgende i WNC, er imidlertid, at den er hjemsted for Charlotte-Douglas International Airport, som er den internationale lufthavn, som ligger tættest på området. Mange internationale luftfartselskaber opererer til og fra lufthavnen, fx Air France, American Airways, British Airways, Delta, Finnair, Iberia, Lufthansa og flere andre. Desværre er der ingen direkte fly fra skandinaviske lufthavne til Charlotte, så en tur kræver mindst én mellemlanding.

Attraktioner i Charlotte

Den kendte tv prædikant, Billy Graham, var født i Charlotte, og man kan besøge Billy Graham Library i byen. En anden mulighed er et besøg i NASCAR Hall of Fame; kvarteret Fourth Ward med mange gamle huse er også et besøg værd, og det samme er Freedom Park, en efter min mening, nydelig park. Carolina Aviation Museum i nærheden af lufthavnen udstiller flere end 50 forskellige civile og militære fly. Carowinds, en stor forlystelsespark på grænsen mellem North og South Carolina, er nok mest for børn og barnlige sjæle, der holder af vilde køreture i diverse forlystelser. Der er også flere museer, blandt disse Mint

Museum, som udstiller kunst og design fra hele verden. Museet har to afdelinger, Mint Museum Uptown og Mint Museum Randolph. Bygningen, der huser sidstnævnte blev oprindeligt bygget som hjemsted for Charlotte Mint, hvor der blev fremstillet guldmønter. Under den amerikanske borgerkrig blev bygningen brugt som hospital og kontorer for militæret. Senere blev bygningen brugt af probermyndigheden (som undersøgte bl.a. gulds validitet), og under 1. Verdenskrig var det et Røde Kors center, så det er en bygning, der i sig selv har en interessant historie. Charlotte er også hjemsted for en afdeling af Wells Fargo History Museum (i Wells Fargo Center), hvor man kan se en gammel diligence, en kopi af en bank fra 1889 og andre genstande fra bank- og diligenceselskabets fortid. Hvis man foretrækker naturen, er et besøg i McDowell Nature Center and Preserve lige uden for byen en god idé.

Har man kun kort tid i byen, er der adskillige muligheder for at tage en guidet bytur, både til fods, i bus eller på segway.

Shopping i Charlotte

Hvis man holder af at shoppe, hvilket ikke er min yndlingsbeskæftigelse, er der mange muligheder i Charlotte, selv om jeg ikke har personligt kendskab til så mange af dem. Men blandt andet findes Charlotte Premium Outlets med butikker fra mærker som Adidas, Ann Taylor, Brooks Brothers, Guess, Levi's, Lindt, Nike, Puma, Reebok, Seiko, Tommy Hilfiger og mange andre. Andre muligheder er de to butikscentre South Park Mall og North Lake Mall, hvis man stadig har penge på lommen, som brænder efter at blive brugt. 7th Street Public Market er også et besøg værd – også selv om man ikke vil købe fødevarer, som er det, dette marked handler om.

Steder at bo og spise i Charlotte

Da der er tale om en storby, er der selvfølgelig mange muligheder både for at bo og spise. Jeg vil her bare omtale et par fra hver kategori, men det er nemt at finde begge dele ved hjælp af internettet.

Duke Mansion og Morehead Inn er Bed and Breakfast (B&B) steder, som ikke er alt for dyre. Matthews Manor i forstaden Matthews omkring 15 km fra centrum er også et udmærket B&B, og så er der selvfølgelig hoteller fra alle de store kæder som Hilton, Sheraton, Westin og Hyatt blandt flere andre.

Er man til gourmet mad, er The Capital Grill og Del Frisco's Double Eagle interessante. Begge hører dog til i den dyrere ende. Hvis man ønsker noget, der er lidt billigere er både Pinkey's Westside Grill og Midnight Diner gode. Men der er mange restauranter af vælge mellem, både kæderestauranter og selvstændige.

Winston-Salem

Winston-Salem ligger i Forsyth County, der er nabo til Yadkin County, som omtales på side 170. Byen har lidt over 240.000 indbyggere, hvilket gør den til den femtestørste by i North Carolina. Winston-Salem er kendt som "Tvillinge-byen" fordi den egentlig består af to nabobyer, Winston og Salem, der efterhånden voksede sammen til en by. Et andet kælenavn er "Camel City", fordi det var i Winston-Salem, at tobaksfirmaet J. R. Reynolds producerede deres velkendte (i hvert fald for cigaretrygere) cigaretter af mærket Camel. Blandt de lokale kaldes byen oftest bare Winston.

Salem blev grundlagt af medlemmer af herrnhuterbevægelsen eller på engelsk Moravians (også kendt som Brødremenigheden eller Unity of Brethren; se også afsnittet Herrnhuterne og deres efterfølgere på side 5). Biskop August Spangenberg og hans ekspedition havde oprettet en mindre bebyggelse nær det nuværende Salem, og mens de opholdt sig her, valgte de det område, hvor de ville opføre deres by, og de første huse i Salem blev bygget i 1766. Navnet Salem har rødder i det hebraiske ord "Shalom", der betyder "fred". Dette navn blev valgt for byen af herrnhuternes beskytter i Europa. Nicholas Ludwig, Grev Zinzendorf. I 1849 blev Winston grundlagt et stykke fra Salem, men lidt efter lidt voksede de to byer sammen og i 1913 blev de formelt forenet med fælles administration og bystyre.

Der findes en mindre lufthavn i byen, Smith-Reynolds Airport, men den beflyves ikke af passagerselskaber.

Attraktioner i Winston–Salem

Den mest interessante attraktion i Winston-Salem er efter min mening Old Salem Historic District, selv om det er gået tilbage for området i de seneste år. Området har en lang række bygninger tilbage fra Salems første år. Blandt de oprindelige bygninger er Salem College, grundlagt i 1772 som en grundskole for piger. Senere blev det et akademi og endnu senere altså et college. Det er den ældste uddannelsesinstitution i USA, der stadig kun optager kvinder.

Blandt de øvrige originale bygninger er Single Brothers' House (bolig for ugifte brødre), der er bygget ad to omgange i 1769 (bindingsværksdelen) og 1786 og Single Sisters' House fra 1785 (som sjovt nok var bolig for de ugifte søstre). En anden original bygning er Winkler's Bakery fra 1799, hvor der indtil for nylig blev bagt brød efter herrnhutiske opskrifter i de brændefyrede ovne, som blev fornyet så sent som i 1824! Som nævnt er der desværre sket en del ændringer til det værre i Old Salem i den senere tid. Winkler's bager ikke længere brød på stedet, men får det bagt på en fabrik (bortset ved særlige lejligheder, hvor der igen tændes op i ovnene). Det gode spisested, Tavern in Old Salem, er lukket permanent, men Salem Museum and Gardens, som administrerer området, søger en ny ejer, så måske åbner restauranten igen.

Guds Ager eller God's Acre er et herrnhutisk udtryk for en kirkegård, og der er mange sådanne Guds Agre rundt omkring i verden, blandt andet i Christiansfeld i Sønderjylland. Disse kirkegårde er karakteriseret ved at være delt op i områder efter alder, køn og civilstand: "Små piger", "små drenge", "piger", "drenge", "ugifte mænd", "ugifte kvinder", "gifte mænd", "gifte kvinder" og så fremdeles. God's Acre i Winston-Salem er en af de største i verden, og den har et særligt område, for mennesker, der er blevet kremeret og ikke begravet. Da herrnhuterne tror på lighed både før og efter døden er alle gravsten ens, så hvis man leder efter en bestemt grav, er det en fordel, hvis man ved, hvor man skal lede.

Reynolda House Museum of American Art har udstillinger af amerikansk kunst fra kolonitiden til idag. Frank L. Horton Museum Center, der er indrettet i en tidligere købmandsbutik, som dog er udvidet flere gange gennem tiden, udstiller "dekorationskunst". En nyskabelse fra 2017 er Kaleidum, som blev oprettet gennem en sammenlægning af The Childrens Museum of Winston-Salem og SciWorks (Science Center and Environmental Park of Forsythe County). Børnemuseet ligger i downtown, ikke langt fra God's Acre, mens SciWorks ligger i udkanten af byen på Hanes Mill Road på et område, der tidligere husede Forsyth County Home and Hospital.

Shopping i Winston-Salem

Der er tre shopping centre i byen; Hanes Mall, Thruway Shopping Center og Reynolda's Village Shops and Restaurants. Alle tre steder kan man sagtens lægge sin økonomi i ruiner, hvis man har et shopping gen, selv om mærkerne ikke er så kendte uden for USA. I Hanes Mall findet man også et Target stormagasin og lige i nærheden, i Hampton Inn Court, ligger en Barnes & Noble boghandel, hvis man er til bøger. Kan man lide antikviteter, er det værd at prøve Lost in Time Antique Mall godt to km sydvest for det historiske distrikt, og selv om man ikke har brug for købmandsvarer, er Ronnie's Country Store et interessant sted at besøge.

Steder at bo og spise i Winston-Salem

Der er ikke helt så mange steder at bo som i Charlotte, men der er rigeligt, så det er ikke svært at finde et overnatningssted. Et interessant sted er The Zevely Inn midt i Old Salem Historic District. Der er tale om et B&B, og værelserne ligger i en bygning fra 1844, som er restaureret tilbage til sit oprindelige udseende. Augustus T. Zevely var saddelmager, læge og borgmester i Salem, og han købte huset i 1845. Samme år åbnede han en kro for rejsende, som ikke kunne få plads på byens "officielle" kro, Salem Tavern. Zevely Inn har kun 12 værelser og er populær i højsæsonen, så det kan betale sig at bestille i god tid Andre muligheder er Historic Brookstown Inn og Grayley Estate, som begge er gode. Og så er der naturligvis alle de sædvanlige kædehoteller, som fx Marriott, Kimpton, Best Western, Embassy Suites og mange andre.

Selv om The Tavern in Old Salem i hvert fald pt. er lukket, er der andre gode spisesteder, så som Ryan's Steak Chops and Seafood, A Noble Grill og Katherine's Brasserie and Bar, alle i den dyrere ende. Blandt de knap så dyre steder kan jeg anbefale Little Richard's Bar-B-Que og Billy Bob's Silver Diner, eller man kan prøve King's Crab Shack hvis man er til fisk og skaldyr.

Videregående uddannelse i WNC

North Carolina er kendt for at have nogle fremragende uddannelsesinstitutioner, og det gælder også den vestlige del af staten. I regionen findes tre store offentlige universiteter: University of North Carolina i Chapel Hill har en campus i Asheville (Buncombe County) med omkring 3.700 studerende, Western Carolina University (godt 10.000 studerende) har sin campus i Cullowhee

(Jackson County), og i Boone (Watauga County) findes det største universitet, Appalachian State University med 19.000 studerende.

Ud over disse offentlige universiteter findes der et antal mindre, private universiteter i WNC, mange tilknyttet forskellige religiøse grupperinger. Mars Hill University med 1.400 studerende i Madison County er WNCs ældste universitet, grundlagt i 1856. Blandt andre private universiteter er Montreat College i Buncombe County, som er associeret med den presbyterianske kirke. Lee-McRae College i Banner Elk (Avery County) er ligeledes associeret med presbyterianerne. Warren Wilson College i Swannanoa (Buncombe County) var oprindeligt presbyteriansk, men er i dag uden tilknytning til et kirkesamfund. Hvis man overvejer, hvorfor der er så mange universiteter i Buncombe County, er det fordi dette er områdets tættest befolkede amt (mere om det på side 89). Brevard College (Transylvania County) er associeret med en afdeling af metodistkirken, mens Lenoir-Rhyne University i Hickcory (Catawba County) er tilnyttet den evangelisk-lutherske kirke. I Boiling Springs i Cleveland County finder man Gardner-Webb University som er knyttet til baptistkirken.

Ud over disse universiteter findes der mange såkaldte "community colleges" i de større byer, så som Mitchell Community College (der oprindelig kun var for kvindelige elever) i Statesville (Iredell County). I Morganton (Burke County), finder man North Carolina School for the Deaf, som ikke er associeret med nogen religiøs bevægelse, men støttes af staten.

Traditionel musik og dans

Da de første europæere kom til Appalacherne, medbragte de kun de mest nødvendige og uundværlige ejendele, og musikinstrumenter var normalt ikke blandt disse. Til gengæld medbragte de deres sange; især ballader fra deres hjemlande (særligt England. Skotland, Irland og Tyskland), som var ideelle at synge uden musikledsagelse. Da man altså ikke havde medbragt musikinstrumenter og ikke havde penge til at købe sådanne, udviklede man efterhånden sine egne instrumenter. Hvem, der er ansvarlig for opfindelsen, ved ingen, men hen ad vejen udviklede man den såkaldte Appalalachian dulcimer, et strengeinstrument. Den blev selvfølgeligt ikke udviklet ud af ingenting, men var inspireret af ældre instrumenter så som den den tyske "scheitholt", den svenske "hummel" og den norske "langeleik", og sandsynligvis af flere andre også.

44

En Appalachian dulcimer er et instrument med tre strenge (selv om mere moderne udgaver også fremstilles med fire eller flere). Oprindeligt blev strengene anslået med en fjer, men i dag anvendes en plekter. Instrumenterne kan have mange faconer, men timeglasfaconen er den mest udbredte. Når der skal spilles på instrumentet, vil musikeren typisk lægge dette i skødet eller på et bord foran sig. To af strengene er såkaldte bordunstrenge, som har en konstant tone, og man spiller kun melodien på den sidste streng. Man kan finde en del musik spillet på Appalachian dulcimer på YouTube og andre steder på internettet.

Lidt efter lidt blev violiner også almindelige, og det gjorde det muligt at udvide repertoiret, og under indflydelse fra afrikanske slaver blev banjoen introduceret. Mod slutningen af det 19. århundrede, da det blev muligt at købe musikinstrumenter via postordrekataloger, kom mange andre instrumenter til, fx guitar, mandolin og autoharpe.

Efterhånden som flere og flere forskellige musikinstrumenter kom i brug, blev de ikke længere kun brugt som akkompagnement til sang, men også dansemusik blev introduceret. Som det var tilfældet med sangene, var disse danse også kraftigt influeret af danse fra nybyggernes hjemlande. I Appalacherne udviklede der sig en særlig dansestil, som blev kaldt "clogging" eller "flat footing", og i dag er "clogging" officiel statsdans i både North Carolina og Kentucky. Som navnet antyder, blev dansen oprindeligt danset i træsko (clogs), som var normalt fodtøj i de landlige områder. I dag anvendes typisk sko eller støvler med beslag monteret under sålen, så de minder om stepsko. Hvis man har set traditionel irsk stepdans, vil man nok genkende clogging, hvor rytmen som i de irske danse understreges med fødderne, men i modsætning til de oprindelige irske danse, har danserne ikke en stiv overkrop, og bruger armene en hel del. Dansen ser forholdsvis simpel ud, men der er mere end 300 forskellige trin at holde styr på, og en af mine bekendte fortalte mig, at det at "clogge" er en virkelig god hjernegymnastik og kræver en god hukommelse.

Country- og bluegrassmusikken udviklede sig efterhånden fra den appalachiske "mountain music", og i dag er der flere steder, hvor man kan opleve såvel traditionel mountain music både med og uden clogging, som country og bluegrass. Hvis man vil opleve den slags live, er det en god ide at undersøge mulighederne, inden man rejser, da stederne, hvor der optrædes, skifter. Der afholdes forskellige musikfestivaler mange steder i området, og nogle få af dem, vil jeg omtale under de enkelte amter.

Eastern Band of Cherokee Indians

Når jeg ikke omtaler andre af de stammer, der oprindeligt levede i området, skyldes det, at ingen af disse i dag er offcielt repræsenteret i North Carolina. Kun cherokeestammen er formelt anerkendt af såvel den føderale regering som delstatsregeringen, og kun medlemmer af denne stamme bor i større antal i WNC.

Da de første hvide kom til området, var cherokeestammen den dominerende stamme i det, der i dag er det vestlige North Carolina og det østlige Tennessee. Stammen hævdede (dog bestridt af andre stammer) retten til et område, der omfattede dele af de nuværende stater North og South Carolina, Georgia, Alabama, Tennessee, Kentucky, West Virginia og Virginia, og stammens interessesfære strakte sig så langt som Mississippi og Louisiana mod vest, Florida mod syd og Ohio, Indiana og helt op til New York mod nord. Da Hernando de Sotos ekspedition kom til området i 1540 (se side 4), havde stammen formodentlig omkring 75.000 medlemmer, men omkring en tredjedel af disse døde i årene efter spaniernes ankomst, ikke mindst af sygdomme, som europæerne havde bragt med, og som indianerne ikke var immune overfor. Blandt de største "dræbere" var kopper og mæslinger. Omkring 1635 var der omkring 50.000 cherokees tilbage i den sydlige del af Appalacherne. De kontrollerede (eller i hvert fald forsøgte at kontrollere) et område på omkring 350.000 km^2, eller nogenlunde det samme som Tyskland. Hvis det oprindelige cherokeeområde var blevet optaget som en selvstændig stat i USA, som i hvert fald nogle stammemedlemmere (senere) ønskede, ville det havde været den fjerdestørste stat, kun overgået af Alaska, Texas og Montana.

Antallet af cherokees fortsatte imidlertid med at falde forholdsvis hurtigt i de følgende år til dels på grund af sygdomme, men også på grund af krige, og omkring 1830 talte stammen kun omkring 23.000 medlemmer. Det område, som stammen kontrollerede, var blevet kraftigt reduceret gennem adskillige traktater med først Storbritannien og senere USA. Omkring 18.000 stammemedlemmer boede primært i to geografisk adskilte områder, dels i det østlige

46

Tennessee og nordlige Georgia og dels i det vestlige North Carolina; de sidste 5.000 boede spredt uden for disse områder, men fortsat primært i de samme stater og nogle få i Kentucky. Stammen betragtede området i North Carolina som deres oprindelige hjemland, og landsbyen Kituwa (som lå i udkanten af den nuværende by Bryson City i Swain County), anså de som deres oprindelige by, og en af de syv såkaldte "moderbyer". Kituwa blev blev ødelagt under det, der kaldes Den anglo-cherokesiske Krig mellem 1758 og 1761, og alt, hvad der er tilbage, er en lav forhøjning i terrænet, der er resterne af den høj, hvor stammens rådshytte en gang stod. Se også side 154.

Reduktionen af stammens område fortsatte, da en del af stammen blev tvunget til at flytte mod vest til Arkansas i 1817, og i 1828 blev denne gruppe igen tvunget til at flytte, denne gang til Indianerterritoriet i det nuværende Oklahoma. I 1819 måtte stammen afgive det landområde omkring Watauga River i North Carolina og Tennessee, som de stadig kontrollerede. En lille del af stammen forblev dog i området, selv om de ikke længere boede på stammeland, men nu på jord, som tilhørte USA.

Der kom fortsat flere og flere nybyggere til området, og i 1830 vedtog USA's Kongres en lov, den såkaldte *Indian Removal Act*, der gav præsidenten lov til at "forhandle" med alle stammer i de østlige stater om, at de skulle "flytte" til Indianerterritoriet vest for Mississippi. Stammerne var ikke alt for glade for dette, og de fleste nægtede at flytte. I 1836 blev cherokeestammen givet et ultimatum, efter at repræsentanter for ca. 500 medlemmer af stammens over 20.000 havde underskrevet en traktat om flytningen. Stammen fik to år til at flytte frivilligt, ellers ville de blive flyttet med magt. Kun en lille del (ca. 2.000) af stammens medlemmer flyttede dog, og i 1838 førte det til det, der i dag er kendt som Trail of Tears (nunaidunadlohili på cherokee, hvilket kan oversættes til "vejen, hvor de græd"). Cherokee'erne blev "arresteret (faktisk "indfanget") og anbragt i noget, der mindede om koncentrationslejre, indtil de i flere grupper blev tvunget til at vandre til fods til Indianerterritoriet. Mellem 4 og 8.000 cherokees døde på rejsen mod vest – deraf betegnelsen "Trail of Tears".

Høvdingen over de såkaldte Quallatown Cherokees (som boede i og omkring landsbyen Quallatown i det nuværende Jackson County), Yonaguska eller "Druknende Bjørn", havde adopteret en hvid dreng, William Holland Thomas, og da han blev voksen, blev han stammens juridiske rådgiver og talsmand i forhandlinger med regeringen og dennes repræsentanter. Mens det generelt var forbudt for medlemmer af stammen at købe deres egen jord, var det tilladt for Thomas, som jo var hvid. Han begyndte derfor at opkøbe land, dels for egne penge og dels for midler indsamlet blandt stammens medlemmer. Da Yonaguska døde i 1838, valgte stammen Thomas som høvding – den eneste hvide, som nogensinde har været høvding over nogen del af cherokeestammen.

Da kun indianere, som boede på stammeland, blev tunget til at flytte, fik de cherokee'er som boede på det område, Thomas havde købt, lov til at blive. Det samme gjorde de få, der ikke var flyttet i 1819 og som nu boede på amerikansk jord. En gruppe stammemedlemmer, som hjalp med at pågribe nogle undslupne, påståede mordere (efter hærens mening – stammen anser dem som frihedshelte) fik også lov til at forblive i området, og endeligt lykkedes det for nogle at undslippe ud i bjergene, hvor de skjulte sig huler i årevis. Disse omkring 1.200 mennesker, der altså blev tilbage i North Carolina, udviklede sig efterhånden til det, som i dag er kendt som Eastern Band of Cherokee Indians, en af de tre grupper af cherokees som anerkendes af den føderale regering[6]. I 1870 fik stammen lov til at udvide deres område, ved ad opkøbe mere jord, der grænsede op til det område, som William Thomas havde købt tidligere. Dette område er i dag kendt som "Qualla Boundary" eller "Qualla Forvaltningsområdet" på dansk. Der er ikke tale om et reservat i almindelig forstand, da et reservat er ejet af den føderale regering og stilles til rådighed for én eller flere stammer. I dette tilfælde ejer cherokee'erne selv deres jord, som så forvaltes på stammens vegne af Bureau of Indian Affairs.

Af de oprindelige 350.000 km², som stammen kontrollerede i de østlige stater, er alt, hvad der er tilbage, de 214 km² som forvaltningsområdet omfatter. Området ligger for størstedelens vedkommende i amterne Swain og Jackson med en lille del i Haywood County foruden to isolerede områder i henholdsvis Graham County og Cherokee County. Omkring 9.000 af stammens 13.000 medlemmer bor inden for grænserne af forvaltningsområdet.

---

[6] De to øvrige er Cherokee Nation og United Keetowah Band of Cherokees. Begge har hjemsted i Talequah i Oklahoma.

Forvaltningsområdet regeres af et stammeråd (Tribal Council) med tolv medlemmer, ledet af en formand og en viceformand (i 2020 Adam Wachacha og David Wolfe). Stammerådet er underlagt Overhøvdingen (Principal Chief – i 2020 Richard Sneed, som blev genvalgt i 2019 efter at have afløst den tidligere overhøvding, der blev afsat i 2017 på grund af uregelmæssigheder i embedsførelsen). Overhøvdingen assisteres af en Viceoverhøvding (i 2020 Alan B. Ensley, der også blev genvalgt i 2019). Stammen har sit eget juridiske system, Tribal Court, og stammepolitiet (Tribal Police) er ansvarlig for at opretholde lov og orden i forvaltningsområdet. FBI og andre føderale politistyrker kan forfølge kriminalitet inden for "reservatet" (stammen bruger selv udtrykket "reservat", fx på deres "Velkommen til…" skilte, selv om der altså ikke juridisk er tale om et reservat), men hverken North Carolinas statspoliti eller politiet i Swain County har jurisdiktion inden for stammeområdets grænser. Stammepolitiet kan dog eventuelt tilkalde hjælp fra statspolitiet, hvis der er behov for det til løsning af opgaver, som de ikke selv har ressourcer til. I sådanne tilfælde vil de politifolk, der bliver involveret, blive udnævnt til "specialagenter i stammepolitiet", så længe opgaven varer.

Den vigtigste indkomstkilde for stammen er turisme. Mange turister besøger området hvert år, og når jeg gennemgår de relevante amter, vil jeg komme nærmere ind på de attraktioner, som tiltrækker turisterne. Her vil jeg nøjes med at sige, at mange kommer for at besøge Great Smoky Mountains National Park, hvis sydlige indgang ligger lige uden for byen Cherokee, hvor også Blue Ridge Parkway begynder (eller slutter). Desuden kommer rigtigt mange for at spille i Harrah's Cherokee Casino. En del af indtægten fra kasinoet bliver brugt af stammen til at finansiere forskellige fælles opgaver, mens en anden del fordeles mellem stammemedlemmerne. Og selvfølgelig beholder Harrah's en del til sig selv. Stammen har i samarbejde med Harrah's for nyligt åbnet et nyt kasino, Harrah's Cherokee Valley River Casino i den enklave af forvaltningsområdet, der ligger i Cherokee County, lige uden for amtssædet, Murphy.

Inden for forvaltningsområdet er salg og udskænkning af alkohol forbudt (bortset fra i kasinoernes barer). Alkohol har faktisk været forbudt hos Eastern Band of Cherokee Indians siden 1819! I 2012 holdt stammen en afstemning om, hvorvidt forbudet skulle ophæves. Ved denne afstemning stemte mere end 60 % af de stemmeberettigede for en opretholdelse af forbudet.

Om venlighed og gæstfrihed

Til sidst i dette kapitel bare en smule mere om de mennesker fra området, som jeg har mødt. De fleste amerikanere er meget imødekommende og også nysgerrige, når de møder fremmede. Her adskiller de sig en del fra vi, noget mere reserverede, danskere. Jeg har fx aldrig mødt en dansker, der når han eller hun hørte nogen tale et fremmed sprog på gaden, kontaktede dem, for at høre, hvor de nu kom fra. Det har jeg til gengæld oplevet adskillige gange i USA – og aldrig på en påtrængende, men altid oprigtigt interesseret måde.

Ingen steder har jeg dog oplevet den samme imødekommenhed, venlighed og gæstfrihed som i netop det vestlige North Carolina. Mange af de mennesker, jeg har været i kontakt med, har anstrengt sig langt ud over, hvad man kan forlange, for at hjælpe mig, med hvad, jeg nu har haft brug for hjælp til. Mennesker, jeg aldrig før har mødt, har inviteret mig med på udflugter til steder, som ikke står i nogen brochure og som jeg ikke anede eksisterede, og derfor aldrig ville have givet mig til at lede efter selv, og selv om jeg havde vidst, at de eksisterede og havde ledt efter dem, havde jeg aldrig fundet frem til disse steder uden hjælp. Jeg er blevet omtalt i lokalaviser og oven i købet interviewet i lokalradio i et lille samfund, hvor man syntes, at det var fantastisk, at en dansker besøgte deres by. Jeg er blevet inviteret hjem til mange privat, og har endda været inviteret til at bo hos flere af dem ved senere besøg.

Det betyder, at rigtigt mange er blevet mine personlige gode venner, som modtager mig som den fortabte søn, når jeg kommer tilbage, og nogle betragter mig faktisk som et familiemedlem, og selv om det selvfølgelig ikke er alle, er det nok til, at menneskerne i denne del af verden, står som noget helt særligt for mig, og jeg håber at andre, der besøger området, vil få den samme oplevelse.

Men først skal man jo dertil, og det vil jeg se på i næste kapitel.

At komme dertil og omkring

Når man skal besøge WNC, vil jeg anbefale, at man er selvtransporterende når man er ankommet, og helst i et motoriseret køretøj. De offentlige transportmuligheder er yderst begrænsede, ikke mindst, hvis man ønsker at forlade den slagne vej for at besøge naturen og de mere landlige områder (som der er flest af). Cykel- og vandreture er selvfølgelig også mulige, men den type transportmidler begrænser de afstande, man kan rejse. Men først skal man selvfølgelig frem til området.

Sådan kommer man til WNC

Fra Europa er der ingen muligheder for at komme til WNC uden at stoppe underveys. Man kan komme tæt på, hvis man bor i de rigtige lande, som Danmark desværre ikke er et af. Men hele vejen kan man ikke komme, hvilket skyldes at området ikke har nogen internationale lufthavne.

Med fly

Skal man til WNC, er man nødt til at flyve – med mindre man selvfølgelig allerede er i USA. Men kommer man fra Europa, er fly en nødvendighed, med mindre man har sit eget skib eller har god tid – og mange penge.

WNC har en enkelt større lufthavn, Asheville Regional Airport, men som navnet antyder, er den regional. Det betyder, at kun indenrigsfly beflyver lufthavnen, som har forbindelser til Atlanta (Georgia), Chicago (Illinois), Fort Lauderdale og Orlando (Florida), og også andre mindre byer i denne stat. Baltimore (Maryland) og Newark (New Jersey) har også forbindelser til Asheville. Start- og landingsbane er lang nok til at ret store fly kan besøge lufthavnen. Airbus A320 og A318 samt Boeing 717 er blandt de fly, der regelmæssigt beflyver lufthavnen. En Boing 747 (faktisk Airforce One med præsident Obama) har landet i lufthavnen, og det samme har en Concorde, da de stadig fløj. Ud over lufthavnen i Asheville er der mindre, lokale lufthavne i Statesville, Hickory og flere andre, mindre byer, men ingen af disse beflyves af kommercielle flyselskaber, og flere af dem har end ikke kontroltårn.

Som nævnt på side 39, er den nærmeste internationale lufthavn Charlotte-Douglas International Airport. De internationale luftfartsselskaber har forbindelser til europæiske byer som Frankfurt og München i Tyskland. London i Storbritannien, Dublin i Irland, Rom i Italien, Barcelona i Spanien og Paris i Frankrig, men desværre ikke København. Så hvis man bor i Skandinavien og vil besøge WNC, er mindst én mellemlanding nødvendig.

Ud over Charlotte-Douglas er der også en international lufthavn med forbindelser til Europa i statshovedstaden, Raleigh, men heller ikke herfra er der direkte forbindelse til Skandinavien. Selv flyver jeg normalt til Dulles International Airport ved Washington DC, og sørger så selv for transport derfra til WNC. Selv om transporten er betydeligt længere end fra Charlotte, er forbindelserne langt hyppigere, den samlede transporttid ikke meget længere, og flybilletten er typisk betydeligt billigere.

Jeg vælger i almindelighed at leje bil (se side 208) og så køre de omkring 6-700 km, der er til WNC, afhængig af, hvor i området, jeg skal hen. Ankommer jeg sent til Dulles, overnatter jeg typisk tæt ved lufthavnen, og kører så til området næste dag. Ankommer jeg tidligere, kører jeg så langt, jeg orker, og så finder jeg et sted at bo, inden jeg fortsætter næste dag. Det har i mange tilfælde været omkring Lexington eller Roanoke i Virginia.

Tog og bus

Der er ingen passagertog, der kører til WNC, og det har der ikke været i mere end 40 år. Tidligere havde forskellige jernbaneselskaber ruter til og gennem området, men de er alle ophørt med at køre. I 2001 blev det foreslået at oprette en passagerforbindelse mellem Salisbury (Rowan County, lige uden for WNC) og Asheville (Buncombe County), men forslaget blev aldrig gennemført i praksis. Forskellige godslinjer fører stadig gennem WNC og der er også nogle lokale godslinjer fx mellem Statesville (Iredell County) og Taylorsville (Alexander County) og mellem Rural Hall (Forsythe County) og North Wilkesboro (Wilkes County). En enkelt jernbanelinje kører med passagerer, men kun på sightseeingture fra Bryson City, og jeg vender tilbage til denne, når jeg kommer til Swain County i min gennemgang af amterne.

Greyhound Lines har busruter, der har stop i nogle af byerne i WNC, som fx Asheville, Boone, Hamptonville, Hendersonville, Hickory, Lenoir, Statesville, Wilkesboro og andre. Man skal dog værre opmærksom på, at mange af disse ruter kun har en daglig afgang, og nogle kører end ikke dagligt. Mange af disse ruter afgår fra Greyhound terminalen i centrum af Charlotte, ikke fra lufthavnen, men man kan komme fra lufthavnen til terminalen med offentlig transport. Billetpriserne til WNC afhænger af afstanden og hvilken dag, man ønsker at rejse. Tjek Greyhound Lines hjemmeside for mere information (www.greyhound.com).

Egen transport

Når man er kommet til USA, er det altså efter min mening en en god ide at leje (eller købe, hvis man skal blive længe) et motoriseret køretøj, og så bruge dette til at bringe sig til og rundt i WNC.

Når det kommer til at være selvtransporterende, kan man selvfølgelig leje en motorcykel, men selv foretrækker jeg bil, da vejret i WNC skifter meget – og hurtigt, og jeg holder ikke specielt meget af at blive hverken våd eller kold. Det er dog et spørgsmål om smag og for motorcykelentusiaster er der nogle spændende ruter, men mere om det under de relevante amter. En autocamper er selvfølgelig en mulighed, men jeg vil ikke anbefale det, selv om autocampere kan være praktiske på mange måder. Desværre er mange af vejene i WNC ikke særligt autocamperegnede, da de ofte er smalle og snoede, ikke mindst i bjergene, og så kan det være vanskeligt (eller umuligt) at få en stor autocamper rundt i svingene. Læg også mærke til, at mange amerikanere har en personbil på slæb efter deres autocamper, fordi den er nemmere at komme rundt med lokalt – også inde i større byer. Der er heller ikke så mange muligheder for at "slå sig ned" med en autocamper i denne del af staten, selv om der selvfølgelig er nogle. Men hvis man holder sig til de større veje, er en autocamper naturligvis en mulig løsning.

Noget om veje i WNC

Tre interstate highways fører gennem WNC og yderligere to skærer gennem hjørner af området.

I-77 fører fra syd til nord gennem den østlige del af WNC og udgør som nævnt på side 16 nærmest regionens østlige grænse. Det ulige nummer indikerer, at vejen er en syd-nordgående interstate, mens lige numre indikerer at interstatens hovedretning er fra vest mod øst.[7] På sin vej gennem North Carolina passerer I-77 byerne Charlotte, Huntersville, Davidson, Mooresville, Statesville og Elkin .

I-40 fører fra vest mod øst. Den kommer ind i WNC fra Tennessee i en landlig del af Haywood County. Herfra fører vejen i sydlig retning til den lille by Clyde, hvor den igen svinger øst på. På strækningen fra statsgrænsen til Clyde går motorvejen gennem en snæver kløft, Pigeon Gorge. Denne strækning er meget smuk, hvis man altså kan se noget, da denne del af WNC ofte er plaget af regn og tåge. Det betyder desværre, at sigtbarheden ofte er meget lav, og man skal køre forsigtigt. Der sker mange trafikuheld på denne strækning, hvoraf nogle har fatale konsekvenser. Faktisk er chancen for at blive slået ihjel i et trafikuheld her 20 gange højere end gennemsnittet for USA's interstate highways. Selv har jeg dog kørt på vejen flere gange i både regn og tåge, og jeg har aldrig været involveret i, eller bare set et trafikuheld. Fra Clyde passerer motorvejen byer som Asheville, Marion, Morganton, Hickory og Statesville inden den forlader det område, som denne guide dækker, ved amtsgrænsen mellem amterne Iredell og Davie.

Den sidste interstate, som passerer området er **I-26**. Nummeret indikerer at motorvejen går fra vest mod øst, og det er da også dens generelle retning, men på den strækning, der passerer gennem WNC, går den faktisk fra nord mod syd (når man kører fra vest mod øst). I-26 kommer ind i WNC fra Johnson County i Tennessee, og som I-40 krydser den også statsgrænsen i et øde område i bjergene, her et sted i Madison County. På sin vej gennem området passerer den byerne Mars Hill, Weaverville, Asheville, Arden og Hendersonville, og den forlader North Carolina igen nær byen Tryon i Polk County.

Ud over disse tre interstates kommer **I-74** og **I-85** også lige i kontakt med WNC. I-74 kommer ind i området fra Virginia og passerer gennem amterne Surry og Stokes. Hele strækningen gennem WNC er knap 50 km. I-85 kommer ind i WNC fra South Carolina og passerer gennem Cleveland County og Gaston County vest for Charlotte, men hele strækningen i WNC er kun 40 km.

---

[7] Det kunne selvfølgelig være omvendt, men her har jeg anvendt den retning, som frakørslerne er nummereret i, og det er fra syd mod nord og fra vest mod øst.

Der er selvfølgelig andre større veje end disse interstate highways. **US Highway** (eller bare Route) **70** kommer ind i WNC fra Tennessee. I begyndelsen deler den vejbane med US 25, men efter at de to veje skilles, passerer Route 70 byer som Asheville, Marion, Morganton, Hickory og Statesville. Som det kan ses, følger vejen stort set samme rute som I-40. Route 70 var oprindeligt en "kyst til kyst" hovedvej fra Los Angeles i Californien til Atlantic i North Carolina, og den var én af primærruterne, hvis man ville køre på tværs af USA. I dag har den stadig sit østlige endestation i Atlantic, men i vest begynder den i dag i Glove, Arizona. **Route 64** kommer ind i WNC vest for Murphy i Cherokee County og forlader området igen, når den har passeret Statesville. Undervejs passerer den også Brevard, Hendersonville, Rutherfordton, Morganton, Lenoir og Taylorsville. **US 421** passerer Boone, Wilkesboro og Yadkinville på sin vej gennem WNC. **US 321** passerer Boone, Blowing Rock, Lenoir, Hickory og Gastonia, mens **US 221** passerer Rutherfordton, Marion, Blowing Rock, Boone og West Jefferson. US 221 er en firesporsvej på nogle strækninger, men kun tospors på mange, og på nogle strækninger er den særdeles snoet af en US Highway at være. Specielt snoet er en strækning på 20 km mellem Linville og Blowing Rock og en knap 35 km lang strækning mellem, West Jefferson og Twin Oaks. Personligt har jeg kørt strækningen mellem Linville og Blowing Rock nogle gange i mørke, regn og tåge, og det kan man sagtens, hvis man bare tager det roligt. I dagslys og solskin er det en meget smuk tur. Jeg skal nok lige tilføje at nogle af de andre US Highways så som Route 64 også kan være smalle og snoede sine steder i bjergene, fx på den sidste del af strækningen mellem Franklin og Highlands i Macon County.

Også andre hovedveje fører gennem dele WNC så som fx **US Route 74**, der passerer Murphy, Bryson City og Asheville. Fra Clyde til Asheville deler vejen vognbaner med I-40 og fra Asheville til Columbus med I-26. Fra Columbus mod øst passerer vejen byer som Shelby og Gastonia og den forlader denne guides område, hvor den fører ind i Mecklenburg County. En anden interessant vej er **US Route 276**, ikke mindst strækningen mellem Brevard i Transylvania County og Waynesville i Haywood County, hvor vejen er smal, tospors og ret snoet sine steder, og hvor den fører gennem Pisgah National Forest. Der er selvfølgelig andre hovedveje i WNC, men dette er de vigtigste.

Hertil kommer så alle de mindre state og county highways (selv små grusveje kan være kategoriseret som highways i WNC). Et antal af disse mindre veje i den vestlige del af mountainregionen tæt på grænsen til Tennessee er så snoede, at de i sig selv at blevet attraktioner, der især tiltrækker motorcykel- og sports-vognsentusiaster. Mange af disse vejstrækninger har kælenavne som "Tail of the Dragon" (en strækning på US 129), Devil's Whip (en strækning på North Carolina Route 80) og flere andre. Jeg vil anbefale, at man undgår disse veje, hvis man kører i en stor autocamper; dels kan den være svær at manøvrere, dels kan der komme en motorcykel i høj fart rundt om det næste sving, og så kan det være umuligt at undvige. Jeg vender tilbage til nogle af disse veje, når jeg gen-nemgår de amter, hvor de findes. Bortset fra disse "navngivne" vejstrækninger er der mange andre veje, at udforske, så det at bare med at komme af sted.

Blue Ridge Parkway – America's Favorite Drive

Betegnelsen i overskriften er ikke min. Det er hvad Blue Ridge Parkway Foun-dation (en organisation, der støtter vedligeholdelsen og udviklingen af vejen) kalder den.

Blue Ridge Parkway er en 755 km lang, naturskøn vej, der forbinder de to na-tionalparker, Shenandoah National Park i Virginia og Great Smoky Mountains National Park i North Carolina. Vejen begynder ved Rock Fish Gap i Virginia og den slutter hvor den møder US Highway 441 uden for Cherokee i Swain County, North Carolina. Vejen er ikke i sig selv en nationalpark, men er klas-sificeret som en National Parkway, og er et beskyttet område, der administreres af National Park Service. Dermed er den det længste og smalleste, beskyttede område i USA, da det beskyttede område kun strækker sig få meter på hver side af selve vejbanen. På trods af dette har vejen siden 1946 (bortset fra i 1949 og 2013) været det mest besøgte af alle USA's nationalt beskyttede områder med mellem 16 og 20 millioner gæster om året.

Konstruktionen af vejen blev påbegyndt i 1935 og blev delvist finansieret af Præsident Franklin D. Roosevelts New Deal program. Dette program var iværk-sat af præsidenten for at bringe USA ud af depressionen i de tidlige 1930'ere. I forbindelse med anlæggelsen af vejen måtte nogle områder eksproprieres, og der skulle indgås en aftale med Eastern Band of Cherokees Indians, da dele af vejen skulle føres gennem Qualla Forvaltningsområdet (se side 48). I fem år, mellem 1935 og 1940, blokerede stammen for anlæggelsen af vejen gennem forvaltningsområdet, og de indgik først en aftale, da regeringen i Washington lovede at anlægge en US Highway gennem Soco Valley (den del af nutidens US Route 19, der går mellem Maggie Valley i Haywood County og Cherokee i Swain County), en distance på ca 25 km. Hovedparten af Blue Ridge Parkway var færdigbygget i 1966 bortset fra en strækning rundt om Grandfather Mountain. Man mente, at anlæggelsen af en "almindelig" bjergvej med hårnålesving og tunneller gennem bjerget, ville være for skadelig for naturen, så i stedet besluttede man at bygge en viadukt, Linn Cove Viaduct, og den del af vejen blev først færdiggjort i 1987.

På hele vejens samlede strækning er der bygget 26 tunneller, hvoraf de 25 findes i North Carolina og de 17 af disse findes syd for Asheville. I North Carolina når vejen sit højeste punkt, 1.842 meter over havets overflade nær Mount Pisgah syd for Waynesville. Vejens samlede længde omfatter ligeledes 6 viadukter og 168 broer.

Dele af vejen er ofte lukkede om vinteren på grund af snefald (der ryddes ikke sne på vejen), tåge eller andre vejrforhold. Også om sommeren kan dele af vejen være lukket, ofte på grund af jordskred efter kraftige regnskyl eller på grund af væltede træer efter en storm. Som tidligere nævnt var dele af vejen lukket mellem 2004 og 2006, efter at orkanerne Frances og Ivan havde forårsaget en voldsom nedbørsmængde med flere jordskred til følge, som simpelthen "fjernede" dele af vejbanen. Hvis en strækning er lukket, vil der blive etableret godt skiltede omkørsler, og trafikken vil blive ført tilbage til vejen, så tæt på den lukkede strækning som muligt. Jeg blev ved én lejlighed sendt ud på en sådan 30 km lang omkørsel, og da jeg var tilbage på Blue Ridge Parkway, var det mindre end 7 km fra det sted, hvor jeg havde forladt vejen.

I vejens højre side, når man kører fra nord mod syd, er opsat skilte med afstandsangivelse, såkaldte mileposts. Milepost 0 står i Rockfish Gap og Milepost 469 på det sted, hvor vejen møder US 441. 350 km af Blue Ridge Parkway ligger i Virginia, mens 405 km ligger i North Carolina.

Den del af vejen, der ligger i North Carolina, passerer gennem 17 af de 32 amter, denne bog beskriver. Hvis jeg skulle glemme at nævne det under et enkelt amt, kommer de alle her, (i alfabetisk orden, ikke i den rækkefølge, vejen passerer dem): Alleghany, Ashe, Avery, Buncombe, Burke, Caldwell, Haywood, Henderson, Jackson, McDowell, Mitchell, Surry, Swain, Transylvania, Watauga, Wilkes og Yancey. Vejen har kun en kort strækning i en række af amterne, mens den går nærmest på tværs af andre.

I forskellige oversigter over attraktionerne langs vejen beskrives disse typisk i forhold til den milepost, de ligger ved. Jeg vil ikke gennemgå alle de attraktioner, der findes i North Carolina, men vil kun nævne nogle stykker. Det er nemt at finde beskrivelser på internettet og man kan downloade en gratis app til både iPhone og Android telefoner. Bare søg efter "Blue Ridge Parkway" i Appstore eller Google Play.

Milepost	Seværdighed
216,9	Blue Ridge Parkway kommer ind i North Carolina fra Virginia.
217,5	Cumberland Knob Visitor Center med mulighed for vandreture i området.
238,0	Brinegar Cabin. En lille hytte fra 1880, hvor Brinegar familien boede indtil midten af 1930'erne.
258, 6	North West Trading Post. Her kan kan man købe kunsthåndværk af lokale kunstnere, CD'er og DVD'er med musik, souvenirs og lidt til ganen.
264,6	The Lump. Fra toppen af en bakke er der en god udsigt over landskabet og bjergene omkring Yadkin River Valley.
272,0	E. B. Jeffries Park. En 1.200 m lang, selvguidet spadseretur til Cascade Falls.
297,0	Price Lake. En sø med mulighed for at fiske, hvis man har løst fisketegn i North Carolina eller Virginia. Desuden gode muligheder for spadsereture og picnic ved søen. Her er der faktisk også mulighed for at overnatte med en autocamper, men det kan være en god idé at bestille plads på forhånd.
304,4	Linn Cove Viaduct. Her kan man gå på en kort sti under viadukten og se denne nedefra.
310,0	Brown Mountain Light Overlook. Mere om Brown Mountain og hvad, der gør bjerget specielt på side 92.
320,7	Chestoa View. En 800 m lang spadseretur med udsigt til lodrette klipper.
331,0	Museum of North Carolina Minerals.

355,4	Mount Mitchell State Park. Via North Carolina State Highway 128 er der adgang til Mount Mitchells top.
361,2	Glassmine Falls Overlook. Udsigt til et såkaldt "flygtigt vand-fald", når der altså er vand i det.
408,6	Mount Pisgah Visitor Center. Et af de få steder nær vejen med restaurant.
417,4	Udsigt til Looking Glass Rock, en bjergside af granit, der re-flekterer sollyset.
431,0	Richland Balsam's Overlook. Vejens højeste punkt.
469,0	Vejen slutter ved mødet med US Highway 441.

Mange steder langs Blue Ridge Parkway – og andre steder i området – kan man se de tre typer af hegn, som Appalacherne er kendt for, nemlig "post and rail fence", "buck fence" og "snake fence". Alle tre typer kan bygges uden brug af søm og skruer, selv om de ofte bruges alligevel, for at sikre hegnene en længere levetid. "Snake fence", som også kendes som "split rail fence" er den mest al-mindelige type. Her strækker hegnene sig i zig zag i form af vandrette bjælker mellem opretstående stolper. I et "buck fence" hviler de vandrette bjælker på bukke, og her bruges af og til søm, hvis man vil have vandrette bjælker lavere end på bukkens top. I et "post and rail fence" er der boret/savet huller i de lod-rette stolper (eller de er sat parvis med luft i mellem), og de vandrette bjælker føres så gennem og hviler i disse huller.

Dette var altså kun et meget lille udvalg af de mange seværdigheder langs vejen. Der er mange flere, og bevæger man sig bare et kort stykke væk fra denne, er der endnu flere. Og så må man selvfølgelig ikke glemme naturen, som er en seværdighed i sig selv, ikke mindst forår og sommer, når azalea og rododendron blomster og om efteråret med de fantastiske løvfaldsfarver.

Bemærk:
- Selv om vejen er et nationalt beskyttet område, betales der ikke entre for at køre på den i modsætning til de fleste andre nationalparker og nationale monumenter.
- Hastighedsbegrænsningen på Blue Ridge Parkway overstiger ingen steder 45 miles (72 km/t), og den kan være lavere, helt ned til 25 miles (40 km/t) visse steder. Såvel politi som parkbetjente (park rangers) kontrollerer hastigheden. Man bør give sig god tid på Blue Ridge

Parkway, og dermed får man også bedre tid til at nyde naturen og ud-
sigterne.

- Parkering og standsning uden for dedikerede "pull-outs" og parke-
ringsområder er forbudt. Men bliv ikke overrasket, hvis der pludselig
holder biler i vejsiden, hvilket ofte sker i nærheden af Linn Cove Via-
duct, eller hvis nogen har fået øje på et interessant dyr, der skal foto-
graferes.

- Selv om det ikke er forbudt, er det faktisk umuligt at køre hele vejen
fra Virginia til Cherokee, hvis man har lejet en meget stor autocamper.
Vejen er ofte meget snoet, ikke mindst mellem Asheville og Cherokee,
og flere af tunnellerne på denne strækning tillader ikke, at alt for høje
køretøjer kører gennem dem, så man skal formodentlig ud på mange
omkørsler. Selvfølgelig er det muligt at køre med selv store autocam-
pere på kortere eller længere strækninger af vejen, hvor man ikke skal
passere tunneller, hvilket man også fra tid til anden kan opleve turbus-
ser, der gør.

- Husk, at der ikke er tankstationer på Blue Ridge Parkway og ingen
steder at spise eller overnatte, bortset fra de få steder, hvor man kan
campere, men der er steder, hvor man kan spise sin medbragte mad.
Såvel tankstationer som spise- og overnatningssteder, kan dog nås for-
holdsvis tæt på vejen; som regel mellem 2 og 15 km fra denne).

Appalachian Trail

The Appalachian Trail er ikke en vej, men en vandresti, USA's længste af slag-
sen. Den har sit sydlige endepunkt nær Springer Mountain i Georgia og det
nordlige på Mount Katahdin[8] i Maine, en distance på omkring 3.500 km. 154
af disse km ligger i North Carolina, alle i WNC. Stien kommer ind i WNC fra
Georgia gennem bjergpasset Bly Gap. Herfra fører stien op og ned i højder mel-
lem 525 og 1.640 meter til man når Great Smoky Mountains National Park. Her
passerer man det højeste punkt på hele vandrestien, Clingmans Dome på græn-
sen mellem North Carolina og Tennessee i en højde af 2.025 m. Den længste

---

[8] Faktisk kalder de lokale i Maine kun bjerget "Katahdin", som i sig selv betyder "Det
mest storslåede bjerg" på abenakisproget, og så bliver "Mount Katahdin" dobbeltkon-
fekt.

del af stien i nogen stat finder man i Virginia med 885 km, mens den korteste opleves i West Virginia, hvor man kun kan gå på 6,5 km af stien.

Ca. 3 millioner mennesker vandrer på stien hvert år, men de fleste går kun en del af denne. Hvert år er der dog nogle få, der går hele turen. Disse er kendt som "thru-hikers". I 2017 begyndte godt 4.000 vandrere på en sådan thru-hike, men kun knap 1.200 gennemførte. De fleste bruger omkring 6-7 måneder på turen, og hovedparten starter om foråret i Georgia og vandrer mod nord, hvor vejret så efterhånden bliver bedre og bedre, men der er også nogle, der går den modsatte vej, hvilket betragtes som det vanskeligste på grund af vejrforholdene i Maine om foråret. Nogle ganske få forsøger (og endnu færre gennemfører) en såkaldt yo-yo, hvor de går begge veje i samme sæson; en vandretur på lidt over 7.000 km.

Den hidtil hurtigste tur med hjælpere i biler, der transporterer bagage, mad og andet udstyr, blev gennemført i den nordlige retning af Karel Sabbe i 2018, hvor han gennemførte turen på 41 dage og nogle timer. I sydgående retning blev rekorden på knap 46 dage sat af Karl Meltzer i 2016. Rekorden for ture uden hjælpere, hvor den vandrende selv transporter alt udstyr, er noget længere. I nordgående retning blev den sat af Joe McConaughy, som gennemførte turen på 45 dage og 12 timer i 2017, mens rekorden for den sydgående tur, blev sat tilbage i 2015 af Heather Anderson, som gennemførte turen på 54 dage, 7 timer og 48 minutter. Aldersrekorden for en thru-hiker indehaves af Dale Sanders, som var 82 år gammel, da han gennemførte turen i 2017.

I WNC er der mange steder, hvor man kan vandre kortere eller længere distancer på stien, men hvis man vil prøve, bør man lade nogen vide, hvor man vil starte, og hvor man vil slutte, samt nogenlunde hvornår, de kan forvente at man har gennemført. Telefonforbindelsen er bjergene er i bedste fald dårlig, og mange steder ikke-eksisterende, så hvis der skulle ske noget, er det bedst at nogen venter én, så de kan sætte en eftersøgning i gang, hvis det skulle blive nødvendigt. Det kan også anbefales, at man ikke vandrer alene, men følges ad et par stykker eller flere, så der evt. er nogen, der kan gå efter hjælp, skulle uheldet være ude. Jeg har selv gået nogle få kilometer ad stien ved tre forskellige lejligheder – alle i Swain County. Første gang var kun omkring 3-4 km ved

Nantahala Outdoor Center, ved en anden lejlighed omkring 2-3 km ved Clingmans Dome og endelig 8-10 km ved Fontana Dam, så min samlede distance beløber sig til mellem 13 og 17 km, så nu mangler jeg kun 3.483 km i bedste fald ☺.

Der er nogle risici forbundet med at vandre på stien jf. ovenstående advarsel. Jeg er dog ikke selv en dedikeret vandrer, selvom jeg kan lide at gå kortere ture, så jeg kan ikke personligt evaluere disse risici. Dette er derfor kun, hvad jeg har fået fortalt. Vejret kan, som jeg har nævnt flere gange, skifte meget pludseligt fra roligt vejr med megen varme og høj luftfugtighed, til tordenstorme, hvor temperaturen kan falde fra meget varmt til forholdsvis koldt inden for få minutter, hvorfor det er vigtigt at have den rigtige påklædning med og på. Man kan blive overrasket af pludselig tåge, og så bør man simpelthen holde pause til tågen letter. Man kan møde dyr, fx bjørne, som man bør holde sig på afstand af, selv om sådanne møder er sjældne. Desuden bør man naturligvis være på vagt over for de to giftige slanger, som findes i WNC, selv om de sjældent ses højt oppe i bjergene, og man skal også være på vagt overfor giftig efeu og giftsumak, som begge kan give alvorlige udslæt. Og så kommer alle de ting, man selv kan være skyld i, så som at være forkert påklædt, ikke at spise og ikke mindst drikke nok, glemme at passe på at man ikke kommer for tæt på klippeskrænter, at man farer vild (stien er ikke lige let at se alle steder), at man ikke holder tilstrækkeligt mange pauser og så videre. Men det kan altså lade sig gøre at gå på stien, uden at komme til skade ☺.

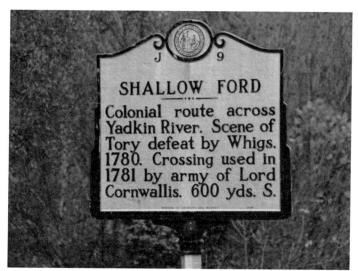

Et eksempel på en Historical Marker. Her for to begivenheder, der fandt sted ved Shallow Ford, et vadested på Yadkin River, på grænsen mellem amterne Yadkin og Forsythe.

Yadkin River. Vadestedet Shallow Ford kunne passeres lige inden svinget på floden.

Udsigt over Great Smoky Mountains fra US Route 441 ved statsgrænsen mellem North Carolina og Tennessee

Stoney Fork Creek i Wilkes County

Granite Falls på Gunpowder Creek i byen Granite Falls i Caldwell County.

Træsorterne varierer fra bjergene til lavlandet. Her er vi i The Foothills i Catawba County.

Begyndende efterårsfarver i Avery County. De forskellige træsorter får forskellige farver og nå-letræerne giver det grønne islæt. I forgrunden en typisk bygning fra Appalacherne. Anvendes til opbevaring af landbrugsredskaber.

Efterårsfarver i fuldt flor i Great Smoky Mountains National Park.

Vildtvoksende Sweet Azalea ved Blue Ridge Parkway.

Black-eyed Susan, en lille blomst i solsikkefamilien et sted i bjergene i Graham County.

Når kudzu gror på træer, danner planten nærmest skulpturelle former, men den invasive plante er alligvel uønsket, da den kvæler den naturlige plantevækst.

Kudzuplanten har nydelige violette blomster, der kan bruges til marmelade.

Wapitihjorte (elks) græsser i midterrabatten på US Route 441 nær Cherokee, Swain County.

Hvidhalet rådyr (Virginia Deer) leger på en plæne i Wilkes County.

Dennne Texas Longhorn ko var kommet på afveje og gik sammen med andre af samme art på en mark i Caldwell County.

Der går ofte æsler sammen med køer eller får i WNC. Æslerne fungerer som "vagthunde" og beskytter kalve og lam mod prærieulve.

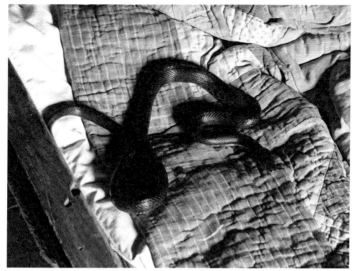

En ugiftig, "black rat snake", har taget plads i en seng på udstillingen på Whippoorwill Academy and Village i Ferguson, Wilkes County.

Østlig æskeskildpadde krydser en grusvej. Denne 15 – 20 cm lange skildpadde er "statsreptil" i North Carolina.

"Mantled baskettail" guldsmed på en gren nær Catawba River.

"Black Swallow Tail" sommerfugl på en blomst et sted i Clay County.

Kalkungrib (Turkey Vulture) i en busk nær Rockford i Surry County

Sølvhejre (Great Egret) på en mark i Wilkes County.

Vinmark i Yadkin County.

Laurel Gray Vineyards i Hamptonville, Yadkin County er mit klare favoritsted, når det gælder vin fra North Carolina. Vinen er god og ejer og personale er hyggelige.

Ikke alle byer i WNC er lige store. Grandin i Caldwell County havde 5 indbyggere ved mit besøg i 2017, og byen har da formelt heller ikke eksisteret siden 1930'erne.

Og ikke alle bygninger er lige velholdte, som fx dette – forhåbentligt nedlagte – autoværksted i Yadkin County.

Charlottes skyline når man kommer til byen fra sydøst ad US Route 74 fra Monroe.

"The Single Brother's House i Old Salem Historic District I Winson-Salem. Her boede – som navnet antyder – de voksne, ugifte, mandlige medlemmer af Brødremenigheden (Unity of the Brethren – kendt som Hernnhuter i Danmark, som Moravians i USA).

Bygning på Appalachian State University i Boone, Watauga County.
Med 19.000 studerende er det WNC's største universitet.

Mitchell College er et såkaldt "community college" i Statesville i Iredell County. Universitetet
har 3.500 studerende og var oprindeligt kun for kvinder, da det blev åbnet i 1856, men har op-
taget studerende af begge køn siden 1932.

Denne, ikke specielt klædelige, bygning rummer den største enkelte kilde til Eastern Band of
Cherokee Indians indtægter, Harrah's Cherokee Casino i Cherokee, Swain County.

Cherokee guide på en bænk I Oconaluftee Indian Village i Cherokee.
Her viser stammen, hvordan de levede omkring 1750.
Coca Cola glasset illustrerer, at stammen må have været langt forud for sin tid!

Mrs. Edith M. Carter (1930 – 2014) var den første fra WNC, jeg rigtigt lærte at kende helt til-
bage i 2004. Her bag disken i Matt's Store, en butik på frilandsmuseet Whippoorwill Academy
and Village i Ferguson, Wilkes County, som hun grundlagde og drev til sin død i 2014.

I dag drives museet af Mrs. Carters datter, Margaret Carter Martine (yderst til højre), som her
ses med sin mand Dick Martine (til venstre) og en af de frivillige på museet, Renée Moore
Frost (i midten), på en råkold dag i april 2019.

Der er små og store veje i Western North Carolina. Her US Route 421, som på denne strækning har fire spor og en hastighedsgrænse på 65 miles (105 km) i timen.

Og her Kendell Town Road, en amtsvej i Caldwell County. Her er der ikke angivet hastighedsgrænse, og da det er uden for bymæssig bebyggelse, betyder det 55 miles (88 km) i timen. Dette kan dog på ingen måde anbefales på veje som denne med mange sving, dårlig oversigt og grusbelægning.

En lille del af Blue Ridge Parkway på en forårsdag. Her i Avery County.

Appalacherne er kendt for sine mange hegn af træ. Her et såkaldt "post and rail" hegn ved Blue Ridge Parkway.

Og her et eksempel på et "snake fence" i Union Grove i Iredell County.

Et kort stykke af vandrestien Appalachian Trail.

Western North Carolina amt for amt

Denne sektion af guiden dækker de 28 amter, der normalt medregnes i Western North Carolina foruden de fire amter, jeg har tilføjet for egen regning. Dertil kommer, at jeg i forbindelse med gennemgangen af et par af amterne, beskriver attraktioner, der ligger lidt uden for WNC. Jeg har valgt at gennemgå de enkelte amter i alfabetisk, ikke geografisk orden, og jeg håber at de små indsatte kort, kan hjælpe med at identificere de enkelte amters placering. Nogle amter går jeg meget hurtigt hen over, da jeg ikke synes, der er meget at fortælle, mens jeg går mere i dybden med andre amter, hvor jeg synes, at der er ting omkring geografien, naturen, historien eller attraktionerne, som jeg finder særligt interessante. Hvis nogen har større kendskab til de amter, der kun beskrives overfladisk og mener, at der er noget (attraktioner eller andet) i amtet, jeg har overset, er man velkommen til at kontakte mig, og så kan jeg måske råde bod på det i en eventuel senere udgave.

Alle oplysninger om befolkningstal, areal og så videre stammer fra den seneste folketælling i USA i 2010 (folketællingen i 2020 er endnu ikke gennemført og offentliggjort), med mindre noget andet er anført. I USA er der siden 1790 afholdt officielle, nationale folketællinger hvert tiende år, men lokale myndigheder kan gennemføre deres egne tællinger på andre tidspunkter, hvis de skønner det nødvendigt, og de få steder, hvor jeg har haft adgang til sådanne tal, har jeg brugt dem. For enkelte amter bringer jeg også lidt almindelige trivia, fx om kendte mennesker med tilknytning til amtet osv. Til sidst vil jeg lige gøre opmærksom på at amtssæderne er centrum for amternes administrative funktioner, og her findes blandt andet amtets domhus, som normalt er den væsentligste administrative bygning i amtet.

Alexander County

Alexander County blev grundlagt i 1847 og er opkaldt efter William Alexander, formand for North Carolinas "House of Commons" fra 1829 til 1830. Amtet dækker et areal på 680  km² og har 37.000 indbyggere. Amtssædet er Taylorsville, som med et indbyggertal på 2.100 også er den største by (town) i amtet. Faktisk er Taylorsville den eneste by, der er klassificeret som "town". Tv-serien og filmen The Dukes of Hazard, var inspireret af Jerry Rushing (1937 – 2017), en spritsmugler fra Alexander County. Rushing, der ejede og drev et vildsvinejagtområde nær Taylorsville, medvirkede selv i et af de første afsnit af tv-serien. Alexander Railroad Company driver en jernbanelinje, der fragter gods fra Taylorsville og 30 km mod sydøst til Statesville i Iredell County.

I den vestlige del af amtet ligger et lille unincorporated community, Hiddenite. Denne lille bebyggelse har navn efter mineralet hiddenit, som er fundet i området. Mineralet har sit navn fra geolog og mineralog William Hidden, som blev sendt til området af Thomas Edison for at søge efter platin. Det fandt han imidlertid ikke, men i stedet fandt han et hidtil ukendt mineral, som blev opkaldt efter ham. Hiddenit er en grøn variation af mineralet spodumene og kan ligne smaragd, men er en smule lysere i farven, og har en anden krystalstruktur. Hiddenit, der er et lithium-aluminium-silicat med spor af krom (den grønne farve), siges at være den eneste ædelsten, der ikke kan fremstilles syntetisk. Et lille geologikursus her. Meget hurtigt blev der etableret miner i området, som viste sig ikke bare at indeholde hiddenit, men også andre ædelsten som fx smaragd, safir, rubin og andre ædel- og halvædelsten.

I dag kan alle prøve lykken med at grave efter ædelsten i Emerald Hollow Mine lige uden for bebyggelsen. I denne mine var en besøgende heldig tilbage i 2003, og fandt den største smaragd, der nogensinde er fundet i USA. Den vejede mere end 1,800 karat, og det er "finders keepers", når man først har betalt entre. Desuden skal man betale for den aktivitet, man vil prøve. Den mest populære er "sluicing" eller vask. Her betaler man for en spand grus, får udleveret en sigte, og så kan man tage plads ved en rende med rindende vand og give sig til at vaske. En spand med "naturligt" grus er det billigste. Det er grus, der er gravet direkte ud fra minen, men man kan også købe spande, hvor der bevidst er tilsat ædelsten. Sådanne spande kan koste op fra 15 og helt op til 1.000 dollars afhængigt af hvilke sten, de er opgraderet med, men selv om man finder mere i disse spande, er det sjoveste efter min mening, at bruge "naturligt grus". Så er man sikker på, at det man evt. finder, stammer fra området, hvor der i de såkaldte "spiked" spande, kan være sten fra andre områder i hele verden. Hvis man vil noget andet end bare at vaske, kan man betale lidt mere og så får man lov til at gå ned til den lokale bæk og selv grave sit grus op af denne, inden man

84

vasker. Endelig kan man få lov til selv at grave direkte i minen. I de to sidst-
nævnte tilfælde vil jeg anbefale, at man er iført tøj, der kan tåle at blive snavset.
Ved mit seneste besøg fandt jeg faktisk – ud over en del ikke særligt værdifulde
halvædelsten, bl.a. ametyst og jasper – også tre små smaragder. Desværre var
de for små til at de kunne slibes – så var de forsvundet helt. Men finder man en
eller flere sten, som man gerne vil have poleret, findes der et stensliberi på ste-
det, hvor man mod betaling kan få slebet sine fund.

Taylorsville Motel og Apple City Bed and Breakfast er et par steder i amtet,
hvor man kan bo. Jeg har dog ikke selv boet på nogen af dem, så jeg kan ikke
borge for kvaliteten. Der er flere muligheder for at få noget at spise, flest i og
omkring Taylorsville. Scotty's Hometown Grill er udmærket, og det samme er
Yellow Deli i Hiddenite, selv om der har været visse kontroverser omkring
sidstnævnte, da den ejes af organisationen 12 Tribes, en religiøs bevægelse,
men det har altså ingen indflydelse på kvaliteten af maden.

Alleghany County

Alleghany County ligger i den nordvest-
lige del af staten og grænser op til Virgi-
nia mod nord. Amtet blev grundlagt i
1859, og det har sit navn fra bjergkæden
Allegheny Mountains, en af kæderne i

Appalacherne. Befolkningen på 11.000 deler et område på 614 km². Amtssæde
og største by er Sparta med omkring 1.800 indbyggere. Amtet ligger i High
Country; amtssædet ligger 900 m over havets overflade, og det højeste punkt,
Peach Bottom Mountain, når op i 1.273 m. I august 2020 blev området ramt af
et MMS styrke 5,1 jordskælv, der havde epicentrum nær Sparta, og som kunne
mærkes så langt væk som Knoxville i Tennessee og Washington DC. Jordskæl-
vet, der var det kraftigste i WNC siden 1926, forårsagede kun mindre, materi-
elle skader og ingen personer kom noget til.

Countrysangeren Del Reeves (1932 - 2007), der havde hits som "Girl on the
Billboard", "The Belles of the Southern Bell", og "Good Time Charlies" var fra
Sparta. Bortset fra det er der ikke meget at fortælle om dette amt, hvor de største
attraktioner er bjergene og naturen i det hele taget.

Alleghany Inn, High Meadows Inn Motel og et antal Bed and Breakfasts (B&B) er mulige overnatningssteder, men man skal huske at et B&B ikke nødvendigvis er et billigt overnatningssted, som det ofte er tilfældet i Europa. Mange B&B's ligger i historiske bygninger, og priserne er fastlagt blandt andet på den bagrund. Amtet har mange spisesteder; fastfood, såvel som kæderestauranter, men også lokale restauranter. Er man til tex-mex, serverer Texmex Riverside i Sparta en god frokost.

Ashe County

Når man er i Ashe County kan man ikke komme længere mod nordvest, og stadig være i North Carolina. Ashe County grænser op til Virginia mod nord og til Tennessee mod vest. Amtet  blev oprettet i 1799, og dermed er det et af de ældste amter i WNC. Det omfatter lidt mere end 1.000 km², og har en befolkning på omkring 27.000. Amtssæde og største by er Jefferson med omkring 1.100 indbyggere. Amtet er opkaldt efter Samuel Ashe, en af patrioterne fra Den amerikanske Uafhængighedskrig og statens guvernør melllem 1795 og 1798.

I 1780'erne, før amtet blev oprettet, indgik de vestligste dele af det, der i dag er North Carolina, i det såkaldte Washington Territorium. Dette territorium var under North Carolinas kontrol, men var ikke en del af staten. I 1784 forsøgte dele af territoriet, inklusive Ashe County, at løsrive sig fra North Carolina og i stedet etablere en selvstændig stat, kendt som State of Franklin. Denne stat opnåede dog aldrig at blive optaget som en af Amerikas Forenede Stater, og i 1788 blev ideen opgivet, og området vendte tilbage til North Carolina. I 1796, da Tennessee blev en selvstændig stat, forblev Ashe County en del af North Carolina, mens den resterende del af det, der var State of Franklin, blev en del af Tennessee.

Ashe County ligger i High Country-området i højder over havet mellem 700 og 900 meter; der er dog fem bjergtoppe som når højder over 1.500 meter og nogle flere mellem 1.000 og 1.500 meter. Det er muligt at besøge Mount Jefferson (1.422 m) i bil, i hvert fald næsten til toppen. Det sidste stykke skal man dog gå af en ikke specielt anstregende sti. Fra toppen er der i klart vejr en storslået

udsigt over byerne Jefferson og West Jefferson omkring 500 meter under bjerg-
toppen.

En lille del af amtet ligger inden for grænserne af det beskyttede område, Che-
rokee National Forest, størstedelen af hvilken ligger i Tennessee. Oprindeligt
var amtet kendt for sine mange kvæg- og fjerkræfarme, men i dag er mange af
disse forsvundet og erstattet af juletræsplantager. Faktisk producerer Ashe
County flere juletræer end noget andet amt i USA's østlige stater.

De fleste hoteller ligger omkring Jefferson og West Jefferson. Jeg har ikke boet
på nogen af dem endnu, men hotellerne i Holiday Inn kæden plejer at være OK,
og et sådant findes i West Jefferson. Også et Day's Inn kan man finde; ofte
billigere end Holiday Inn, men kvaliteten er typisk heller ikke den samme. Des-
uden er der mange B&B i Ashe County, som jeg desværre heller ikke har prø-
vet, idet jeg endnu ikke har overnattet i amtet. Der er mange steder, hvor man
kan få noget at spise, igen især omkring Jefferson og West Jefferson. I sidst-
nævnte by finder man blandt andre Mountain Aire Seafood and Steaks. Deres
Deviled Crabs er glimrende, og det samme er deres Salt and Pepper Catfish.
Bøfferne ser også gode ud, men dem har jeg endnu ikke prøvet. Et andet godt
sted er Black Jack's Pub and Grill, også i West Jefferson. De har godt øl og de
serverer udmærket pub food.

Avery County

Avery County er et andet amt i den
nordvestlige del af WNC, en smule syd
for Ashe County, men stadig i high
country regionen. Amtet har et areal på
640 km^2, og en befolkning på næsten

28.000. I amtet findes en lille lufthavn uden kontroltårn og kun med kapacitet
til små privatfly. Amtet blev oprettet i 1911 og det er dermed det yngste amt i
WNC. Det er opkaldt efter en advokat ved navn Waightstill Avery, der i dag er
mest er kendt for en duel han udkæmpede i 1788 mod en anden advokat, An-
drew Jackson, som 40 år senere skulle blive USA's 7. præsident. Under en rets-
sag udfordrede Jackson Avery til en duel. Begge overlevede duellen, da de be-
vidst skød forbi, og senere blev de to advokater særdeles gode venner.

Amtsædet er Newland med 700 indbyggere, der med en beliggenhed 1.100 m over havets overflade (m.o.h.) er det højest beliggende amtssæde øst for Mississippifloden. Den største by, Banner Elk (1.000 indbyggere), ligger 1.130 m.o.h. Banner Elk ligger tæt på skiområderne Beech Mountain og Sugar Mountain, som er nogle af de bedste skiområder i North Carolina. Sugar Mountain er berømt (eller snarere berygtet) for en "øjenbæ" af en beboelsesejendom placeret på toppen af bjerget Sugar Top. Ejendommen, der kan ses på lang afstand, blev både før og under opførelsen genstand for adskillige protester, der i den sidste ende førte til et forbud i North Carolina mod at opføre bygninger som denne på bjergtoppe.

Der er mange naturattraktioner i amtet som fx Grandfather Mountain med Grandfather Mountain State Park, Linville Gorge Wilderness, Linville Falls samt dele af såvel Pisgah National Forest som Blue Ridge Parkway. Tidligere lå der i Beech Moutain en forlystelsespark ved navn Land of Oz Theme Park. Denne er dog lukket og har været det i en del år, selv om der har været tale om at genåbne. For de, der kender filmen "Troldmanden fra Oz" kan jeg fortælle, at parkens adresse var på Yellow Brick Road.

Grandfather Mountain, der rejser sig til en højde af 1.800 m, ligger tæt på såvel Blue Ridge Parkway som US Route 221. Den imponerende Linn Cove Viaduct, der er en attraktion i sig selv, fører Blue Ridge Parkway rundt om bjerget. Bjerget og parken var tidligere i privat eje, men i 2008 blev området købt af staten, og i 2009 blev der så etableret en statspark. Her kan man hvert år overvære de skotskinspirerede "Highland Games". Man kan køre til en af toppene, Linville Peak, hvor der findes et museum, og den mest kendte attraktion, Mile-high Swinging Bridge. Undervejs til toppen passerer man syv forskellige habitater, hvor man kan se hvidhovedede havørne, amerikanske sortbjørne, pumaer og så videre. Vær opmærksom på at kraftige vinde kan opstå ret pludseligt på toppen, hvor der er målt vindstød på over 300 km/t.

Linville Gorge, der er kendt som North Carolinas Grand Canyon, er en smal kløft skabt af Linville River. Området er et beskyttet wilderness område på godt 4.000 hektar, hvor det er tilladt at vandre til fods, men man skal være i god form, da kløften har mange stejle op- og nedstigninger. Udsigtspunktet Wisemans View nær kløftens midte giver den bedste udsigt over Linville Gorge og bjergene i nabolaget. Linville Falls er en serie vandfald på Linville River nede i kløften. Fra to parkeringsområder går flere stier ned til forskellige dele af vandfaldene, som alle er et besøg værd, men regn med at skulle gå fra omkring 700 m og op til et par km, og det går ned ad bakke, så man skal altså op igen. Ikke langt fra faldene, på US Route 221 ligger Linville Caverns, men da de faktisk ligger i McDowell County, vender jeg tilbage til dem, når jeg når til dette amt. En lille del af Pisgah National Forest ligger inden for amtets grænser.

Da amtet har flere skiområder, er der også mange steder at overnatte. Hotelkæder som Best Western og andre er repræsenteret i amtet, som også har mange hytter, B&B's, kroer og skiresorts. I Banner Elk kan man bo på Banner Elk Winery and Villa, som også laver vin, deraf navnet. Også spisesteder er der nok af, både i skiområderne, og andre steder i amtet. Newland har et mikrobryggeri, Blind Squirrel Brewery, hvor man også kan spise. Min egen favorit er Bayou Smokehose i Banner Elk, som byder på cajunmad fra Louisiana; måske ikke specielt lokalt, men godt. Restauranten har også en butik, hvor man kan købe souvenirs, hot sauce og andre livsnødvendigheder. Også Stonewall's Restaurant i Banner Elk er glimrende.

Buncombe County

Med et befolkningstal på omkring 240.000 har Buncombe County det største befolkingstal af alle amter i WNC. Befolkningen i dette ene amt udgør mere end en sjettedel af hele befolkningen i WNC (fraregnet mine "ekstra amter"). En stor del af denne befolkning (87.000) bor i amtssædet Asheville, som er den største by i WNC, men der er flere byer med over 5.000 indbyggere. Disse mennesker deler et område på omkring 1.700 km², hvilket gør Buncombe til et af de største amter i området.

Amtet blev grundlagt i 1791 og har sit navn efter en oberst i revolutionshæren, Edward Buncombe, hvis største bedrift tilsyneladende var, at han blev taget til fange af britiske tropper i Slaget ved Germantown i 1777 (ok, han spillede også en ret stor rolle i den såkaldte North Carolina Congress, der styrede kolonien (udenretsligt, da man formelt stadig tilhøre Storbritannien) mellem 1774 og 1776, men også i den såkaldte First Continental Congress i Philadelphia i 1774.

Buncombe er begravet på Christ Church Burying Ground i Philadelphia; kirkegården, hvor også Benjamin Franklin ligger begravet.

De første hvide indbyggere, der slog sig ned her, var baptister, men siden er kristne af mange forskellige trosretninger kommet til området. I Asheville er der to kirkebygninger, der er et besøg værd (flere, hvis man virkeligt holder af kirker). Den romersk-katolske Basilica of St. Lawrence og den episkopale Cathedral of All Souls. Buncombe plejede at være det, amerikaneren kalder et "bellwether" amt. Det vil sige at flertallet af stemmer ved et præsidentvalg gives til den kandiat, der ender med at vinde valget. Denne status gik tilbage til 1964, men gik tabt i 2016, da flertallet i amtet stemte på Hilary Clinton. Den amerikanske "rekord" indehaves af Blane County i Montana, der kun har ramt ved siden af én gang siden 1916.

Det nuværende amtssæde, Asheville, blev grundlagt i 1784 under navnet Morristown, men fik ikke status som by før i 1797. Ved den lejlighed blev navnet ændret til Asheville, opkaldt efter den samme guvernør, som også har lagt navne til Ashe County. En jernbanelinje, der tilhører Norfolk Southern Railway, passerer gennem amtet, men som alle andre jernbanelinjer i WNC transporterer den i dag kun gods, og det sidste passagertog til Asheville ankom i 1968. Byen var hjemsted for den første elektriske sporvognslinje i North Carolina, anlagt i 1895, men den blev lukket i 1934 og erstattet af busser.

Store dele af Buncombe County blev oversvømmet i forbindelse med et jordskælv i 1916. Mere om dette jordskælv i næste kapitel om Burke County. Mange film er helt eller delvist optaget i Buncombe County, blandt andre Dirty Dancing (1987), Den sidste Mohikaner" (1992), Flygtningen (1993), Forest Gump (1994), Patch Adams (1998) og Hannibal (2001). Sangerinden Roberta Flack blev født i Asheville og skuespilleren Andie McDowell boede i amtet i en årrække.

Lige uden for Asheville finder man Biltmore Estate med Biltmore House, det største private hus i USA med mere end 250 værelser. Huset såvel som haven er åbent for publikum (mod en ikke helt lille entre), og der er også et vineri på grunden. Udenfor Weaverville, i den lille bebyggelse Reems Creek øst for byen, kan man besøge Zebulon Vances fødehjem. Vance var North Carolinas guvernør under Borgerkrigen og igen fra 1877 til 1879. Fra 1879 til sin død i 1894 repræsenterede han staten i USA's senat, og Vance er stadig en meget populær skikkelse i North Carolina. Hans fødehjem (selv om den oprindelige bygning er revet ned og erstattet af en kopi) er et godt eksempel på hvordan et velhavende jordbesidderhjem i det landlige North Carolina så ud omkring 1830, og hvordan det var indrettet. En af de originale slavehytter er bevaret, selv om den er flyttet nærmere hovedbygningen, og den giver et godt indtryk af de forhold som slaverne levede under i WNC.

I Asheville kan man også besøge Western North Carolina Nature Center, en zoologisk have med dyr fra Appalacherne. Fra et udsigtspunkt ved Milepost 361,2 på Blue Ridge Parkway, har man udsigt til Glassmine Falls, et såkaldt flygtigt vandfald, der er næsten 250 m højt – når der ellers er vand i det. At det er flygtigt betyder netop, at der kun er vand i faldet, når der er faldet regn, men efter en kraftig regnbyge, kan det være imponerende. Når der ikke er vand, er der bare udsigt til en bjergside. Årstiden har ikke den store betydning for, om der er vand i vandfaldet, men der falder mest regn om sommeren. Ud over Blue Ridge Parkway ligger også dele af Pisgah National Forest i amtet.

Der er rigeligt med steder at bo på hotel- og motelkæder i og omkring Asheville, som fx Doubletree by Hilton, Baymont Inn, Best Western, Quality Inn og mange andre. Der findes også indkvarteringsmuligheder i Weaverville og andre steder i amtet. Der er også mange steder, hvor man kan få god mad, både i Asheville og i andre byer. Prøv fx Biltmore Estate Dining Room (elegant, med hvide duge, sølvtøj og krystalglas, men faktisk ikke særligt dyrt). I henhold til charlestonfoodbloggers.com er den bedste restaurant i amtet Rhubarb i Asheville, som jeg desværre endnu ikke har prøvet selv.

Burke County

Burke County dækker et aral på 1.330 km^2, men da det blev oprettet i 1777, var det meget større, som det fremgår af side 35. Som mange andre amter er også Burke blevet reduceret i størrelse
i flere omgange, når nye amter blev oprettet. Befolkningtallet er omkring

91.000. Amtssæde og største by er Morganton (der er en "city") med 17.000 indbyggere. Der er andre byer (towns) i amtet, men ingen af disse har flere end 5.000 indbyggere. De største byer er Longview og Valdes med henholdsvis 4.800 og 4.000 indbyggere. Også byen Linville Falls ligger i Burke County, men ikke selve vandfaldene, som ligger i Avery County.

Som jeg fortalte i kapitlet om Hernando de Soto på side 4, var det nær den nuværende by Morganton, at Juan Pardo byggede det første spanske for i 1567, mere præcist nær en stor landsby fra Mississippikulturen ved navn Joara. Fortet lå omkring 10-11 km nord for Morganton ved et lille vandløb, Upper Creek, ikke langt fra nutidens Henderson Mill Road. Der foretages løbende arkæologiske udgravninger i området, men stedet er kun åbent for offentligheden én dag om året, på den såkaldte Berry Site Public Field Day (tjek internettet for den aktuelle dato, men det er som regel i juni måned). Der er også meget andet at se på i området, ikke mindst i Morganton.

Byen har et antal interesante kvarterer, ikke mindst downtown med flere historiske bygninger, blandt andre det gamle domhus fra 1835, der i dag fungerer som museum. Også den historiske jernbanestation er er besøgt værd, især hvis man interesserer sig for gamle jernbanestationer opført i træ. Det lokale psykiatriske hospital (Broughton Hospital, tidligere Western North Carolina Insane Asylum) fra 1875 er optaget i The National Register of Historic Places, men det er stadig i brug, så der er ikke almindelig adgang. Det samme gælder for North Carolina School of the Deaf i den sydlige del af byen, hvor hovedbygningen er også optaget i The National Register of Historic Places.

Den 1.200 m høje klippe, Table Rock, godt 20 km nordvest for Morganton er byens "naturlige vartegn". Som navnet antyder har bjerget en forholdsvis flad top, men kun når man ser det fra den rigtige retning. Er man til bjergklatring, skulle Table Rock være et af de bedste steder til dette i det sydlige USA.

Omkring 20 km nord for Morganton, på grænsen mellem amterne Burke og Caldwell, ligger Brown Moutain. Denne ret uimponerende bjergryg anvendes ofte til off-road kørsel i ATV'er, men det er ikke det, der har gjort bjerget berømt. Det er derimod de mystiske lys, som (ved sjældne lejligheder) kan ses på og over bjerget. Legender om lysene går mindst 800 år tilbage, men i moderne tid har de været observeret i hvert fald siden 1913, hvor de blev rapporteret af lystfiskere. United States Geological Survey iværksatte dengang en undersøgelse af lysene, I første omgang kun med en enkelt ansat, men en mere grundig undersøgelse blev gennemført i 1922. Denne undersøgelse konkluderede, at lysene var forlygter fra biler eller tog, der var på vej mod beskueren. Dette harmonede dog ikke helt med, at lysene kunne (og kan) ses fra mange retninger. Som omtalt i foregående kapitel ramte et jordskælv med epicenter tæt på Waynesville i Haywood County området i 1916. Dette jordskælv forårsagede store oversvømmelser i flere amter, blandt andre Burke og Buncombe, da floder og bække blev spærret af jordskred og fik vandløbene til at gå over deres bredder. Oversvømmelserne forårsagede skader for omkring 3 millioner dollars, svarende til 75 millioner i nutidsdollars. Elektriciteten blev afbrudt, broer blev ødelagt og såvel tog som biltrafik var indstillet i flere uger, men lysene sås stadig. Selv om der stadig er mange skeptikere, som ikke tror på lysene, mener selv velansete geologer at lysene er ægte. Forlygter, bål på bjerget, lys fra jægeres lommelygter samt lys fra byer langt væk, er formodentlig kilde til størstedelen af observationerne, men der findes altså også "ægte mystiske lys", selv om de er meget sjældne, og en videnskabelig forklaring er endnu ikke fundet, selv om mange har været undersøgt. I det seneste par år har videnskabsmænd fra Appalachian State University i Boone gennemført undersøgelser af lysene, og mange andre, både professionelle og amtører interesserer sig også for fænomenet.

Cherokeestammen, der boede i området inden de hvide kom til, har en legende om lysene, der fortæller, at de stammer fra ånderne af unge kvinder, der med fakler går rundt og leder efter deres elskede krigere, som blev dræbt i et stort slag mod catawabastammen, som netop fandt sted på Brown Mountain omkring år 1200. Det er en sød historie, så den stemmer jeg for! Lysene ses bedst i oktober og november, siges det, og især på nætter efter regn. Gode steder at observere lysene fra er Wisemans View (omtalt under Avery County), et udsigtspunkt ved Milepost 310 på Blue Ridge Parkway eller et udsigtspunkt på North Carolina Route 181 omkring 29 km nord for Morganton. En aften her kan være - og er ofte - fuldstændigt spildt, men man kan være heldig og se et lys. Jeg har tilbragt i alt 8 timer på stedet ved to forskellige lejligheder mellem kl. 22 aften og kl. 2 nat i henholdsvis oktober 2013 og november 2015, og jeg så adskillige lys, men kun ét, der ifølge en lokal ekspert, jeg var sammen med, var et ægte Brown Mountain Light. Dagen før havde han set og fotograferet et par stykker, som han mente var ægte, og i alt havde han tilbragt omkring 40 nattetimer på stedet med diverse almindelige og infrarøde kameraer alene i den uge, hvor jeg mødte ham.

Den mest kendte person fra amtet (i nyere tid) er nok Senator Sam Ervin (1896 – 1985). Han var formand for den senatskomité, der undersøgte Watergate affæren, som i den sidste ende førte til Præsident Richard M. Nixons afgang. Ervin var født og opvokset i Morganton, og han havde sit advokatkontor her, før han blev valgt ind i senatet. Ud over Ervin er den mest berømte person med tilknytning til amtet nok Frances Silver, kendt som "Frankie". I 1833, 17 år gammel, blev hun hængt i Morganton for mordet på sin tre år ældre ægtemand 18 måneder tidligere. Mordet blev begået i den lille bebyggelse, Kona, der i dag ligger i Mitchell County, men dengang lå i Burke. Jeg vender tilbage til dette mord, når jeg kommer til Mitchell County. Mordet blev gjort berømt af sangen The Ballad of Frankie Silver, skrevet af en lokal skolelærer og sat til salg på dagen for henrettelsen. Sangen gjorde sagen kendt i hele USA. Frankie Silver er begravet i et ret øde område ikke langt fra North Carolina Road 126, omkring 9-10 km nordvest for Morganton, men graven er ikke nem at finde, da man skal nogle kilometer ned ad en sidevej fra hovedvejen, og derefter gå omkring 1-1,5 km gennem skov for at at nå frem til den.

De fleste overnatningssteder findes i og omkring Morganton, men der er andre muligheder, fx The Inn at Glen Alpine i byen Glen Alpine. Også spisestederne er koncentret omkring Morganton. Butch's BBQ and Breakfast er god, hvis man holder af usund, men velsmagende sydstatskost. Wisteria Gastro Pub skulle også være god, men den har jeg endnu ikke afprøvet. Og for resten er Morganton hjemsted for en af de meget få Denny's kæderestauranter, der findes i WNC. Denny's er kendt for at have åbent 24 timer i døgnet, så kommer man sent hjem efter dagens udflugt, er det et godt bud.

Caldwell County

Caldwell County, grundlagt i 1841, har sit navn fra Joseph Caldwell, den første præsident for North Carolina University. Amtet har et areal på 1.228 km², og en befolkning på 83.000. Amtssæde og

største by (city) er Lenoir med 18.000 indbyggere. Byen er opkaldt efter William Lenoir, som havde været major i revolutionshæren, og som senere blev general i North Carolinas milits. Lenoir havde grundlagt byen Wilkesboro i Wilkes County, som dengang også omfattede det meste af det nuværende Caldwell County, og han blev Wilkes Countys første "County Clerk, se side 36, men han ville ikke have byen opkaldt efter sig. Efter hans død, da Caldwell County blev grundlagt, skulle dette amt også have et amtssæde, og man valgte en lille bebyggelse ved navn Tucker's Barn, som blev omdøbt til Lenoir til ære for generalen. Det vestligste punkt i Brushy Mountains, Hibriten Mountain, ligger inden for Lenoirs bygrænse. Også dele af Blue Ridge Parkway og Pisgah National Forest ligger i amtet.

Ud over Lenoir ligger også en mindre del af Hickory med 41.000 indbyggere i Caldwell County, men da størstedelen ligger i Catawba Couty, vil jeg omtale byen under dette amt. Granite Falls syd for Lenoir har 4.700 indbyggere, men bortset fra Catawba River og de "fald" på Gunpowder Creek, som har givet byen navn, er der der ikke meget at se (undskyld til mine bekendte i byen). Faldene er ikke længere specielt imponerende, da en dæmning er opført lige over dem, og vandet nærmest kun "risler ned" over de granitblokke, der udgør faldet. Hudson med 3.800 indbyggere (også syd for Lenoir), er heller ikke specielt interessant, men Caldwell County Community College and Technical Institute har en campus i byen, og lige uden for denne finder man Six Water Pot Vineyard og Winery, og de laver udmærket vin, og er et besøg værd, hvis man kan lide at besøge den slags steder.

Bortset fra Lenoir er den mest interessante by i amtet nok Blowing Rock på grænsen til Watauga County. Den har et par attraktioner, som faktisk ligger på den anden side af amtsgrænsen, men jeg omtaler dem alligevel her, og ikke i kapitlet om Watauga. En af attraktionerne i byen er den klippe, der har givet byen sit navn. Dette klippefremspring, der ligger i en privat park (adgang mod entre), er karakteriseret ved, at vinden altid blæser opad fra kløften under klippen. Dette er specielt synligt om vinteren, hvor man faktisk kan se sne "dale op", ikke ned. Dette fænomen har skabt forskellige legender blandt de oprindelige beboere af området. En cherokeelegende fortæller fx om en catawbakriger, der ikke kunne få sin elskede, da han tilhørte en fjendtlig stamme. Han kastede sig derfor ud fra klippen, men pigen bad guderne om at frelse ham, og de sendte en vind, som blæste ham tilbage til klippen, hvor pigen ventede, og så fik de lov til at få hinanden – og siden har vinden blæst opad. Der er andre versioner af legenden, men dem vil jeg ikke gengive her. Eastern Continental Divide går gennem Blowing Rock, og det markeres med skilte, blandt andet på US Route 321.

Blowing Rock har et par andre attraktioner. Tweetsie var kælenavnet for den nu nedlagte East Tennessee and Western North Carolina Railroad, en smalsporet jernbane mellem Elizabethton i Tennessee og nogle jernminer i Cranberry i North Carolina, senere forlænget til Boone i Watauga County og nedlagt i 1950. I dag kører et af de små damplokomotiver med passagerer i Tweetsie Railway Theme Park, hvor der også er mange andre forlystelser. Også Mystery Hill mellem Blowing Rock og Boone i Watauga County kan være sjov at besøge. Her bliver øjne og hjerne snydt af virkeligheden. Nogle særlige forhold på stedet skaber optiske illusioner, hvor det ser ud som om tyngdekraften ophæves, så vand løber op ad, mennesker forandrer størrelse, når de bevæger sig og så fremdeles. Begge de to parker opkræver entre. Det gør det sidste sted, jeg vil omtale, ikke, men det kan hurtigt blive dyrt alligevel, ikke mindst hvis man har et shoppinggen. I Blowing Rock finder man nemlig også et Tanger Outlet Mall. Her finder man butikker som Loft, Banana Republic, Dressbarn, Gap, Polo by Ralph Lauren, White House Black Market og andre.

Tæt på North Carolina Route 268, 12-15 km nordøst for Lenoir finder man en lille kirke, The Chapel of Rest. Kirken er ikke længere i ordinær brug som kirke, selv om det er muligt at blive gift her. I dag anvendes kirken til koncerter med klassisk musik, og i dagtimerne står kirken åben, så det er muligt at sætte sig ind og tænke over tilværelsen, meditere, eller hvad man nu har lyst til. Det fortælles, at kapellet er hjemsøgt, og der findes en plet på gulvet, som påstås at være en blodplet, der ikke kan vaskes væk. Jeg har imidlertid besøgt stedet flere gange, og har aldrig oplevet nogen form for spøgeri, selv om jeg har set pletten (og kender den rigtige forklaring på den). På kirkegården kan man finde et gravmonument over Collett Leventhorpe, en engelsk læge og forfatter, som deltog i Borgerkrigen på Sydstaternes side, og som nåede at blive brigadegeneral. Fortsætter man vest på ad NC 268 kommer man til General Lenoirs tdligere hjem, Fort Defiance fra 1792. Der er ikke tale om et fort, men da generalen købte

96

grunden, lå der et palisadefort fra tiden før Uafhængighedskrigen, hvor nybyggerne kunne søge tilflugt i tilfælde af angreb fra fjendtlige indianere, og generalen opkaldte sit hjem efter dette fort. I dag er huset museum med mange genstande fra generalens tid. Bag huset finder man Lenoir-Jones familiekirkegården, hvor såvel generalen som hans svigersøn, Militsgeneral Edmund Jones, og andre medlemmer af familien ligger begravet. Denne kirkegård er stadig i brug. Hvis man, som jeg, synes om at besøge gamle kirkegårde og føle historiens vingesus, kan man fortsætte mod øst til Grandin Road, hvor man finder Mariahs Chapel fra 1875, den ældste kirkebygning i denne del af Yadkin River Valley, der er kendt som Happy Valley. Heller ikke dette kapel anvendes længere til kirkelige handlinger, men også her er man begyndt at afholde koncerter. Kapellet er optaget i National Register of Historic Places og også kirkegården her er interessant. Endnu længere mod øst ad NC 268 kommer man til en lille blind sidevej, Council Farm Drive. For enden af denne ligger Dula-Horton Cemetery, som i sig selv er optaget i registeret. Der er flere bygninger i denne del af amtet, der ligeledes er optaget i National Register, men de er alle i privat eje, og derfor ikke tilgængelig for offentligheden.

NC 268 fører, som det fremgår, gennem Yadkin River Valley, og der er ofte gode udsigter til Brushy Mountains syd for dalen. En gang om året, i den såkaldte Labor Day Weekend[9], afholdes Happy Valley Fiddlers Convention, en folkemusikfestival m.m., på en mark lige ved NC 268 omkring 1,5 km vest for Grandin Road. På den samme mark, som normalt er lukket for offentligheden, finder man en indhegnet grav. Her ligger Laura Foster (måske) begravet. Laura Foster var pigen, som Tom Dooley blev hængt for at have myrdet. Denne sag blev gjort verdensberømt af Kingston Trioens sang (på dansk bl.a. med Four Jacks) i 1958.

I Lenoir er downtown og Caldwell Heritage Museum interessante steder at besøge. Kan man lide parker og spadsereture, kan jeg anbefale T. H. Broyhill Walking Park, hvor man kan gå én eller flere runder på omkring 6-700 m rundt om en lille sø. I byen finder man også et Edgar Allen Poe hus; det har dog intet med den berømte forfatter at gøre, men er opkaldt efter en tidligere borgmester. Et af USA's største møbelfirmaer havde tidligere sit hovedsæde i Lenoir lige

---

[9] Labor Day Weekend er weekenden før den første mandag i september.

som flere andre virksomheder i samme branche. De fleste er dog flyttet til udlandet, og kun nogle få er tilbage. Et af disse er Bernhardt Furniture, der blev grundlagt i 1889, og som har 1.200 ansatte. Firmaet, der både har hovedsæde og en fabrik i byen, ligger i den sydlige del af denne, ikke langt fra det datacenter, som Google for nogle år siden, har etableret.

Omkring 10-12 km nord for Lenoir kan man besøge Twin Poplars, som faktisk bare er et træ i skoven, og der er derfor ikke opgivet nogen adresse på denne "attraktion" i adresseafsnittet sidst i guiden. Hvis man vil besøge træet, bør man nok entrere med en lokal guide, da stedet kan være vanskeligt at finde på egen hånd, og man skal gå nogen vej fra den nærmeste parkeringsmulighed ad ikke afmærkede skovstier for at komme til det rigtige træ. Træet er et helligt sted for cherokeestammen. Når man kommer til træet, vil man se at der er tale om to stammer, som vokser med nogle meters mellemrum, men mødes 5-6 meter over jorden og fortsætter som en enkelt stamme. Cherokeelegenden fortæller, at efter endnu en blodig krig med catawbastammen omkring 1740 sluttede man endelig fred, og for at vise, at freden nu skulle være "evig", bandt man to unge poppeltræer sammen, som symbol på stammernes enighed; efterhånden voksede de to træer sammen og blev til Twin Poplars. En legende? Ja, men jeg synes at den er tiltalende! I dag findes der en geocache lige i nærheden af træet, så finder man den, er man der!

På mange marker, både i dette og tilgrænsende amter, hvor kvæg og får græsser, vil man ofte også se et eller to æsler (eller af og til lamaer). Disse fungerer, som nævnt på side 26 som "vagthunde" mod prærieulve, som plager området, og som dræber lam og kalve.

De fleste indkvarteringsmuligheder findes i Lenoir, Blowing Rock og omkring Hickory i amtets udkant. Noget vest for Lenoir i bebyggelsen Collettsville, finder man Brown Mountain Beach Resort, selv om jeg ikke helt forstår navnet, da stedet ligger i bjergene og ikke nærheden af nogen strand[10]. Der er også forskellige kædehoteller og -moteller og nogle kroer. Desværre er mit yndlingssted, et B&B ved navn The Irish Rose, hvor jeg nåede at bo fem gange, lukket

---

[10] Ok! Jeg indrømmer, at stedet ligger ved en lille bæk, hvor de grusede og stenede bredder, måske kan kaldes "en strand", hvis man er i godt lune.

i april 2020, da værtinden valgte at pensionere sig selv og lukke stedet i forbindelse med at coronavirussen betød, at hun alligevel ikke kunne holde åbent, og derfor ikke kunne tjene penge nok til at holde det i gang. De fleste restauranter findes i de samme byer som indkvarteringsmulighederne. I Lenoir finder man blandt andre 1841 Cafe og Side Street Pour House and Grill (med pub food), som jeg begge kan anbefale, og det samme gælder for den forholdsvis nyåbnede Salad Bar, hvis man ellers er til salat og suppe, som er det, der serveres her. Langs US 321 i nordlig retning (kendt som Blowing Rock Boulevard) findes mange kæderestauranter så som Ruby Tuesday, Subway, Papa John's, Waffle House, Arby's, Bojangle's og Sagebrush. Først- og sidstnævnte er de bedste efter min mening.

Catawba County

I 1842 blev Catawba County oprettet, og det fik sit navn efter Catawbastammen som havde boet i området tidligere, men som nu, som andre stammer i de østlige stater, var blevet tvunget til  at forlade området. Amtet dækker et område på 1.072 km^2 og har en befolkning på 155.000.

Amtssædet er Newton med 13.000 indbyggere, og den største by er Hickory med 41.000. Hickory er den næststørste by i WNC, kun overgået af Asheville. Byen er hjemsted for Lenoir-Rhyne University, et privat, humanistisk universitet med omkring 2.300 studerende. Den såkaldte Data Center korridor går gennem amtet. Nord for byen Maiden i den sydlige del af amtet, tæt på US Route 321 driver Apple et iCloud datacenter, og i Conover driver samme firma det største private solenergianlæg i USA. Connover er også hjemsted for ncData-campus, et område, der er udlagt til at huse datacentre og kontorer for virksomheder i elektronik- og databranchen. ncDatacampus er endnu ikke fuldt udbygget, men det forventes, at det vil ske i fremtiden.

Hickory har sit navn fra et stort hickorytræ, under hvilket der blev bygget en kro tilbage i 1850'erne. Rundt om denne kro blev der efterhånden opført flere og flere huse, og stedet blev kendt som The City at Hickory Tavern. Da jernbanen kom til byen i 1859, blev navnet forkortet til det nuværende. Amtssædet

Newton ligger omkring 12 km sydøst for Hickory og de to byer er i praksis vokset sammen. I Newton finder man amtets domhus fra 1924 og St. Paul's Church fra 1818 med en interessant kirkegård, hvis man er til kirkegårde med gamle, vejrbidte sten.

Amtet har flere spændende museer. Fx Catawba County Firefighters Museum omkring 10 km øst for Hickory, og ligeledes Hickory Aviation Museum ved den lokale lufthavn. Dette museum er ikke specielt stort, men har nogle interessante fly, så som et F14D "Tomcat" jagerfly. Catawba Museum of History er interessant, hvis man interesserer sig for områdets lokalhistorie. Et andet spændende sted, nok ikke mindst for større børn, er Catawba Science Center med planetarium, akvarium og mere til. Omkring 17-18 km sydøst for Hickory kan man besøge Murray's Mill Historic Site. Dette er et mindre frilandsmuseum, med blandt andet den gamle vandmølle, der har givet stedet navn, men også med flere andre bygninger fra perioden mellem 1880 og 1950. Ved mit seneste besøg i 2019, kom jeg gratis ind, fordi jeg blev betragtet som "veteran" på grund af min baggrund i Søværnet, som jeg havde talt med billetdamen om, selv om jeg forklarede, at det altså ikke var USA's flåde, jeg havde været i. "En veteran er en veteran", forklarede hun, og "veteraner har gratis adgang". Øst for Hickory, i Claremont, finder man en af de to overdækkede broer i North Carolina, der er opført før 1900, Bunker Hill Covered Bridge fra 1895. Broen fører over et mindre vandløb, men der er kun skov på den modsatte side. Man kan gå over den, men ellers er der i dag ingen trafik. Til en afveksling skal der ikke betales entre.

De fleste hoteller/moteller i amtet er koncentreret omkring Hickory. Kæderne dominerer, som det typisk er tilfældet omkring interstate highways. Interstate Highway 40 passerer lige syd for byen, og der er indkvarteringsmuligheder ved de fleste frakørsler. La Quinta, Holiday Inn, Days Inn, Best Western og Red Roof Inn er nogle af disse. Som i andre tilfælde, hvor motorveje kommer i nærheden af byer er kæderestauranterne mange ved frakørslerne. Blandt de bedste er Outback Steak House og Texas Road House, for ikke at tale om Hooter's (mest på grund af serveringspersonalet). Men giv også lokale steder som fx Granny's Country Kitchen og Vintage House Restaurant en chance.

Cherokee County

Når man er i Cherokee County, kan man ikke komme længere mod vest og stadig være i North Carolina. Mod vest grænser amtet op til to amter i Tennessee og mod syd til to amter i Georgia.

En del af amtets 1.200 km^2 ligger inden for Nantahala National Forest, og en meget lille, isoleret del af Qualla Boundary, hjemsted for Eastern Band of Cherokee Indians, se side 48, ligger i amtet. På trods af det udgør andelen af oprindelige amerikanere (eller Native Americans) kun 1,6 % af de 27.500 indbyggere i amtet. Amtssæde og største by er Murphy med 2.400 indbyggere. Andrews, der tidligere var den største by, har i dag 1.600 indbyggere. Sidstnævnte tal er fra den officielle folketælling i 2010, mens tallet for Murphy er fra en lokal tælling i 2014. Bortset fra disse to byer, er det eneste sted med bare nogen befolkningskoncentration et census-designated place, Marble, med kun 320 indbyggere.

Amtet blev oprettet i 1839 og er opkaldt efter cherokeestammen, som tidligere kontrollerede hele området. Hiwassee River, en biflod til Tennessee River løber gennem amtet fra sydøst til nordvest.

I 2015 åbnede Harrah's Casino og Eastern Band of Cherokee Indians stammens andet kasino, Harrah's Cherokee Valley River Casino, lige uden for Murphy inden for grænserne af den isolerede del af Qualla Boundary. Kasinoet tiltrækker en del turister, som også kan se på amtets gamle domhus i Murphy, der er bygget af lokal, blå marmor. Er man til øl, kan man besøge Andrews Brewing Company, der ligger i et ombygget fængsel, men bortset fra disse få attraktioner, er det naturen, det der tiltrækker turisterne.

Hoteller og andre indkvarteringsmuligheder er sparsomme i amtet. Der er nogle kædehoteller i Murphy og et Day's Inn i Andrews. Alle de spisesteder, jeg kender til, ligger i Murphy, men mon ikke der findes nogle i Andrews også? Rib Country BBQ og Murphy's Chophouse er gode, og Brother's Restaurant i den nordøstlige del af byen, har gode anmeldelser, men den har jeg ikke selv prøvet.

Clay County

Clay County ligger i den sydvestlige del af WNC, indeklemt mellem Cherokee County, Macon County og Georgia. Det er et ret lille amt på 570 km², og det har en befolkning på 10.500.

Amtssædet er Hayesville, som med kun 320 indbyggere alligevel er den største by. Faktisk er Hayesville den eneste bebyggelse i amtet, der har status som town. Hvor Hayesville ligger i dag, lå tidligere en cherokeelandsby, Quanassee. Den såkaldte "Indian Trading Path" mellem North Carolina og Tennessee (i virkeligheden en del af et system af stier der begyndte ved Chesapeake Bay i Virginia) passerede gennem amtet, som blev grundlagt i 1861.

Foruden Hayesville er der kun fire unincorporated communities i amtet. I denne del af North Carolina (hvor klimaet i øvrigt er subtropisk), er man langt fra statens hovedstad. Faktisk ligger Hayesville tættere på fem andre statshovedstæder end på Raleigh. De fem er Atlanta i Georgia, Columbia i South Carolina, Frankfort i Kentucky, Montgomery i Alabama og Nashville i Tennessee. Amtet er opkaldt efter Henry Clay, en plantageejer og advokat fra Kentucky, som var USA's udenrigsminister under John Quincey Adams, og som selv stillede op til præsidentvalget tre gange, uden dog at blive valgt. Ser man bort fra præsidenter, er Clay den person, der har givet navn til næstflest forskellige amter i USA. Hele 17 styk bliver det til, kun overgået af Franklin, som 25 amter hedder.

Den nordlige del af den opdæmmede sø, Chatugee Lake ligger i Clay County, hvor man også finder Chatugee dæmningen, der opdæmmer Hiwassee River; den sydlige del af søen ligger i Georgia, men hvis man ikke er interesseret i naturen eller har fået nok af den, er der ingen grund til at bruge meget tid i Clay County. Amtets domhus fra 1888 er dog optaget i National Register of Historic Places. Clay er faktisk et af de få amter, hvor jeg ikke selv har overnattet, ja end ikke spist, men kun har kørt gennem på vej fra et sted til et andet, så jeg er måske en smule unfair her. Der er kun nogle få steder at overnatte, og de er alle i nabolaget af Hayesville, men heldigvis er der ikke langt til overnatningsmuligheder i naboamterne. Som nævnt har jeg aldrig spist i amtet, men bekendte har fortalt mig, at The Copper Door i Hayesville skulle være god.

Cleveland County

Cleveland County er det amt, der ligger længst mod sydøst af de amter, der officielt indgår i WNC, selv om jeg i denne guide medtager to amter, der grænser op til Cleveland mod øst.
Cleveland er et af de amter, der ikke ligger i mountainregionen, men i piedmontregionen. Amtet dækker et areal på 1.200 km², og en befolkning på 98.000 deler dette område. Mod syd grænser amtet op til South Carolina. Cleveland County er opkaldt efter Benjamin Cleveland, en oberst fra Uafhængighedskrigen, som jeg vender tilbage til i kapitlet om Wilkes County. Amtssædet er Shelby, som også er den største by med omkring 20.000 indbyggere. Hvis nogen kan huske countrysange som "Sweet Dreams" og "I can't stop loving you", kan jeg fortælle de blev skrevet af Don Gibson (1928 – 2003), som voksede op i Shelby, og et teater i byen er opkaldt efter ham. Hvert år siden 1987 har Shelby afholdt *Livermush Exposition,* for at fejre denne North Carolina delikatesse, som jeg vender tilbage på side 169.

Der er kun én anden større by i amtet, Kings Mountain, med 10.000 indbyggere. Kings Mountain har sit navn fra Slaget ved Kings Moutain, som fandt sted i York County i South Carolina i 1780, kun omkring 12 km syd for byen. Omkring 1940 opdagede man mineralet lithium nær Kings Mountain, og man begyndte at udgrave metallet i 1942. Beregninger har vist, at 80 % af USA's samlede lithium-ressourcer findes i Cleveland og i naboamterne Gaston og Lincoln. I 1980 var Cleveland County ansvarlig for mere end 50 % af verdens samlede litiumproduktion, men i dag er minerne lukkede, da det har vist sig billigere og mere effektivt at udvinde lithium fra opløsninger af lithiumklorid og kaliumklorid end at udgrave det, og størstedelen af den lithium, der bruges i dag, kommer fra Sydamerika, hvor disse opløsninger findes naturligt i underjordiske bassiner.

I Boiling Springs (4.600 indbyggere) ligger det private Gardner-Webb University med 5.000 studerende. På universitetets område finder man den kilde, der har givet byen navn. Egentlig burde byen nok hedde Bubbling Springs, da kilder ikke koger. Der er tale om en koldtvandskilde, hvor vandet "bobler op", og selv det er svært at se i dag. I den endnu mindre by Polkville, som trods kun

550 indbyggere er en "city" i modsætning til Boiling Springs, der er en "town", afholdes der hvert år et rodeo, men det er stort set alt, hvad der sker i dette amt, hvor der heller ikke er meget at se. Jeg kan dog fortælle at den tidligere verdensmester i sværvægtsboksning, Floyd Patterson (1935-2006), var født i bebyggelsen Waco (320 indbyggere).

Stort set alle indkvarteringsmuligheder ligger omkring Shelby, især kædehoteller og –moteller, men der findes også nogle få B&B, så som The Inn of the Patriots B&B nær statsgrænsen og Destarte Bed and Breakfast + Wedding Barn i Lawndale, 12-13 km nord for Shelby. Der er adskillige spisesteder i Shelby. Jeg har ikke prøvet nogen af dem, men Flying Pig skulle være god, og det samme skulle Barnett's Restaurant og Cotton Seafood Restaurant være.

Gaston County

Gaston County er det første af de fire amter, jeg har medtaget i guiden, selv om de egentlig ligger uden for det område, som officielt udgør WNC. Det er et ret lille amt på kun 944 km², men har
en befolkning på over 200.000. Det skyldes, at den østlige del af amtet faktisk består af forstæder til Charlotte i Mechlenburg County (se side 39). Amtssæde og største by er Gastonia med 71.000 indbyggere. Amtet blev oprettet i 1846 og er opkaldt efter William Gaston, en politiker, der repræsenterede North Carolina i Repræsentanternes Hus. Han skrev også den officelle statssang, "The Old North State".

Når man medregner Gastonia, er syv byer klassificerede som "city", mens otte er klassificeret som "town". Den største "town" er Dallas med 4.500 indbyggere, den mindste er Spencer Mountain med 37! Faktisk boede der ved folketællingen i 2010 kun 13 indbyggere i Dellview, men byen blev regnet for "inaktiv", da der ved folketællingen i 2000 slet ikke var nogen indbyggere. Så 13 mennesker må være flyttet til byen mellem de to folketællinger.

Der er en række attraktioner i Gaston County, så som Daniel Stowe Botanical Garden i Belmont, Schiele Museum of Natural History med tilhørende planetarium i Gastonia og Crowder's Mountain State Park, som er et godt sted at spotte rovfugle, og hvor der også er mulighed for at dyrke bjergklatring. I december kan man besøge McAdenville (650 indbyggere), kendt som Christmastown, USA. Mere end 375 træer i byen er dekoreret med julelys, og 200 lygtepæle er dekoreret med kranse. Man vil dog ikke være alene. Mere end 600.000 biler kører gennem byen i løbet af julemåneden. Byens største arbejdsgiver, Pharr Yarns, som startede traditionen i 1956, betaler fortsat elregningen.

Der er adskillige steder at bo i amtet, ikke mindst omkring Gastonia. Kædehoteller og –moteller dominerer, da Interstate Highway 85 passerer forbi byen. Jeg har ikke boet på nogen af dem, så derfor ingen anbefalinger. Også kæderestauranterne dominerer, som det ofte er tilfældet ved motorvejsafkørsler, men der er andre muligheder. Prøv fx Ray's Country Smokehouse Grill eller Arline's Grill.

Graham County

Graham County ligger i den sydvestlige del af WNC, lige nord for Cherokee County, og ligesom i dette amt, findes også en isoleret del af Qualla Boundary (se side 48) inden for amtets  grænser. Med kun 8.000 indbyggere er Graham det amt i WNC, som har den mindste befolkning, og det har den tredjemindste befolkning i hele North Carolina. Amtet dækker et areal på 780 km^2, og amtssædet er Robbinsville (620 indbyggere). 7 % af befolkningen i amtet er oprindelige amerikanere, og kun Swain County har en større andel af indianere. Cherokeestammen kaldte området for Nantahala, et navn der nu er bruges om Nantahala National Forest, se side 31. Amtet er grundlagt i 1872, og er opkaldt efter William Graham, der var medlem af USAs senat mellem 1840 og 1843.

Ud over Robbinsville er der kun en række små bebyggelser i amtet, som fx Lake Santeetlah med 45 indbyggere og Fontana Dam Village med 33. Måske er det den lave befolkningstæthed (12 indbyggere pr. km^2), der er grunden til at Graham County er det amt i WNC, der kæmper mest med økonomien, selv om det er gået lidt fremad siden 2017, hvor amtet er blevet opgraderet fra kategorien "distressed" til "at-risk", se side 34. Nogle økonomer mener dog, at forklaringen skal søges et andet sted. Amtet er det eneste såkaldte "dry county" eller "tørlagte amt" i WNC. Det betyder, at det er forbudt at købe eller sælge nogen form for alkohol inden for amtsgrænsen. Det har den konsekvens, mener disse økonomer, at folk kører til naboamterne for at købe alkohol, og når de er der alligevel, benytter de lejligheden til at handle, gå på restaurant og så videre. Det betyder, at det er hårde tider for forretningslivet i Graham County. For nyligt har amtet åbnet for salg af øl og vin, men ikke stærk spiritus, og kun inden for bygrænsen i Fontana Dam Village. Da denne by har en fastboende befolkning på under 35 (et nyligt estimat siger 7!) og mest befolkes af turister om sommeren, vil det næppe have have den store betydning for amtets samlede økonomi.

Den mest kendte skikkelse fra Graham County er den længst afdøde cherokee-leder, Junalaska. Faktish hed han Tsunalahunski ("Den, der forsøger, men fejler"), men det kunne de engelsktalende hverken udtale eller stave, og så blev navnet forvansket til Junaluska. Den del af stammen, som Junaluska tilhørte, boede i en del af Appalacherne, der kaldes Snowbird Mountains (hvor nu Robbinsville ligger), og han regnes for en af gruppens vigtige ledere, selv om han ikke formelt var høvding. Hele hans historie skal ikke fortælles her, men slå den eventuelt selv op, da den er ganske interesant, både hvorfor han ændrede sit navn fra Gulkalaski (En, der læner sig op af noget og vælter), og hvordan han forgæves forsøgte at forhindre, at stammen blev tvunget til at flytte til Indianerterritoriet vest for Mississippi. Junaluska var selv med på Trail of Tears, se side 47. Hans hustru døde på rejsen, og efter nogle år i territoriet, vandrede han tilbage til sin oprindelige hjemstavn, hvor han fik tildelt et lille stykke jord og en mindre, årlig pension. Han er, sammen med sin anden hustru, begravet på en lille bakke over Junaluska Museet i Robbinsville. Dette museum er sjældent overrendt, så personalet har som oftest god tid til en snak. Ved mit seneste besøg, fik jeg en halvanden time lang snak med den dame, som den dag havde vagten, og i al den tid, var jeg den eneste gæst. Ud over Junaluska fortæller museet også om stammen som sådan, og er man intereresseret i indianernes historie, er det bestemt et besøg værd.

16 km nord for Robbinsville ad US Route 129 findes et "vandreområde", Yellow Creek Falls og lidt længere mod nord ad samme vej ligger Cheoah Dam, en dæmning på Little Tennessee River. Her er dæmningsscenerne fra Harrison Ford/Tommy Lee Jones filmen "Flygtningen" fra 1993 optaget. Da dæmningen stod færdig i 1919, var det en "verdensrekordernes dæmning". Med sine 69 m

var det verdens højeste dæmning, den havde de kraftigste turbiner og kunne overføre den stærkeste strøm (250.000 volt) i verdens længste transmissionskabel (1.530 m) over Little Tennessee River. Det kan være lidt vanskeligt at finde parkering ved dæmningen, men der er plads til et par biler. Der er dog ikke adgang til selve dæmningen.

Dæmningen, der har givet navn til Fontana Dam Village, er også en dæmning på Little Tennesse River på grænsen mellem amterne Graham og Swain. Fra Robbinsville kan man tage North Carolina Route 143 mod øst til den møder NC 28, som man så tager mod nord til dæmningen. Er man på en "dæmningstur", kan man faktisk fortsætte ad NC 28 til Cheoah Dam (eller naturligvis omvendt). Fontana Dam blev opført mellem 1942 og 1944 for at skaffe elektricitet til The Aluminium Company of America i Alcoa i Tennessee, der var en vigtige leverandør af aluminium til det amerikanske forsvar. Dæmningen er 150 m høj, og er dermed den højeste dæmning i det østlige USA. Den 765 m lange dæmning har skabt en 27 km lang sø, Fontana Lake med et overfladeareal på godt 4.000 hektar. Vandkraftværket her har en kapacitet på 293 megawatt, og i modsætning til Cheoah Dam, kan man besøge dæmningen, og der findes et besøgscenter, der fortæller om dæmningen og dens historie. Vandrestien, The Appalachian Trail (side 60), passerer over toppen af dæmningen og det samme gør County Road 1245. Da søen blev anlagt blev nogle tusinde boliger oversvømmet, og beboerne af disse fik lov til at opankre husbåde på søen, hvis de ønskede det. Kun de, der oprindeligt benyttede denne ret og deres efterkommere, må udnytte denne rettighed, så husbådene kan ikke sælges til udenforstående. I dag er der ca. 450 husbåde af de oprindeligt omkring 1.400 tilbage på søen.

Den del af US Route 129, der går mellem Robbinsville og statsgrænsen til Tennessee er forholdsvis snoet, men den er nærmest helt lige sammenlignet med, hvad der venter, hvis man fortsætter ind i Tennessee. En strækning på knap 18 km lige efter statsgrænsen kaldes Tail of The Dragon, og her skal man gennem 318 sving, eller 18 pr. kilometer i gennemsnit. Denne vejstrækning siges at være USA's mest populære motorcykelrute. En anden interessant vej i nabolaget er North Carolina Route 143 vest for Robbinsville. Følger man vejen ca. 15-16 km mod vest og nord ud af byen, kommer man til et T-kryds, hvor NC 143 svinger til venstre. Her er det vigtigt, at man drejer med, da man nemt kan blive forvirret og fortsætte lige ud ad County Road 1134, som ikke ser ud til at være mindre end 143. Fra det sted, hvor NC 143 forlader CR 1134 til Tellico Plains i Tennessee, kaldes vejen Cherohala Skyway. Den forløber næsten helt oppe på toppen af bjergkæden, deraf navnet Skyway, og vejen har nogle fantastiske udsigter. Første del af navnet kommer af de to beskyttede områder, som vejen fører igennem, Cherokee National Forest i Tennessee og Nantahala National Forest i North Carolina. Da vejen var færdig i 1996, var den, med en pris på omkring 100 millioner dollars, den dyreste naturskønne vej, der nogensinde var anlagt i North Carolina.

Der findes nogle få kædehoteller i amtet; blandt andre Wyndham og Microtel i Robbinsville. Desuden findes nogle "hytter" (lodges) i bjergene. Jeg har desværre ikke prøvet nogle af disse, man Snowbird Mountain Lodge har et godt ry. Stedet har udsigt over Lake Santeetlah ifølge deres egen brochure, og man kan spise her uden at indlogere sig, hvis man bestiller bord i forvejen. Der er flere andre steder at spise i Robbinsville, men ikke mange kæderestauranter. The Hub i Robbinsville er glimrende, og ikke særligt dyr. Lokale restauranter er som regel gode i det meste af WNC, og selv om jeg selvfølgelig kun har afprøvet en brøkdel selv, er jeg aldrig gået skuffet bort, men måske er jeg bare ikke specielt kritisk, når jeg bare skal have stillet sulten. Forvent ikke trestjernede Michelin restauranter, men få et godt, stort, hjemmelavet, velsmagende og meget usundt, landligt sydstatsmåltid.

Haywood County

Vi bliver i den sydvestlige del af WNC. Haywood County blev oprettet i 1808 og har sit navn fra John Haywood, en lokal politiker, som fungerede som ansvarlig for North Carolinas økonomi
(treasurer) i 40 år fra 1787 til 1827. Amtet har et areal på 1.437 km², og en befolkning på knap 60.000. Amtssæde og største by er Waynesville med omkring 10.000 indbyggere. Waynesville var, som man sikkert husker, byen, hvor de sidste kampe i Borgerkrigen øst for Mississippi fandt sted. Husker man det ikke, findes historien på side 10. Hvis nogen kan huske skuespilleren Gig Young, der i Danmark var kendt fra tv-serien "Storsvindlerne" fra 60'erne, hvor han spillede sammen med David Niven, Robert Coote og Charles Boyer, er han

begravet på Green Hill Cemetery i Waynesville. Der er nogle historiske bygninger i Waynesville, men de er normalt ikke åbne for offentligheden, da de i dag er private hjem. Et besøg i det historiske Frog Level distrikt, kan dog være interessant. En meget lille del af det sammenhængende Qualla Boundary (side 48) ligger i amtet.

I amtet findes Lake Junaluska, et unincorporated community, som er hjemsted for World Methodist Council og Museum of Methodism, foruden andre institutioner knyttet til metodistkirken. Byen, og ikke mindst søen af samme navn, er et godt sted at tage en spadseretur, hvor man kan nyde udsigt og omgivelser. Ikke langt vest for Lake Junaluska finder man skisportsstedet Maggie Valley med omkring 1.000 indbyggere. Catalochee Ski Area har 18 løjper på niveauer fra "begynder" til "avanceret". Tre stolelifte og to slæbelifte fragter skiløbere op til løjperne, men dette er naturligvis kun interessant, hvis man besøger stedet om vinteren. Indtil 2016 var byen hjemsted for en forlystelsespark, "Ghost Town in the Sky", som man kun kunne nå via stolelift eller via en kabeltrukken sporvogn. I 2017 blev parken sat til salg, og der var planer om en genåbning i 2019, men disse planer blev opgivet, og parken er endnu en gang sat til salg. Nogle vil måske genkende navnet Maggie Valley, som det sted hvor Peter Lundin begik sit første mord, da han kvalte sin mor i 1991 og – med hjælp fra sin far – begravede liget ved Cap Hatteras. Efter at han blev udvist af USA i 1999, vendte han tilbage til Danmark, og resten af den historie behøver ikke at blive gentaget.

Ud over de få bebyggelser er Haywood County karakteriseret ved bjerge. 18 toppe når over 1.800 m, hvilket er det højeste antal i noget amt øst for Mississippifloden. Cold Mountain, der har givet navn til en roman fra 1997 skrevet af Charles Frazier og i 2003 indspillet som film under titlen "Tilbage til Cold Mountain", ligger i amtet. Blandt filmens medvirkende var Nicole Kidman, Jude Law og Renee Zellwegger. Selvom en lille del af filmen faktisk er optaget i North Carolina, var det ikke ved Cold Mountain. Størstedelen af scenerne blev optaget i Rumænien samt i South Carolina og Virginia.

Der er mange overnatningsmuligheder i Waynesville og også nogle i Lake Junaluska og Maggie Valley. Inn at Iris Meadow nord for Waynesville kan anbefales, eller man kan bo på kæder som Best Western, Ramada, Super 6 og andre. Man spiser i Waynesville, og der er også et par gode restauranter i Lake Junaluska og Maggie Valley. Man kan fx prøve Guayabitos i Maggie Valley, hvis man kan lide mexicansk mad. Er man mere til det amerikanske køkken, er Haywood Smokehouse i Waynesville et godt bud; her påstår de at lave "den bedste barbecue uden for Texas". Det kan jeg dog ikke bekræfte, da jeg aldrig har spist BBQ på stedet, men de serverer gode sandwich. Eller prøv den nærliggende Bourbon Barrel Beef and Ale. Deres Butcher's Sirloin er fremragende.

Henderson County

Henderson County grænser op til South Carolina mod syd. Amtets areal udgør 970 km^2, og 110.000 mennesker bor i amtet. Amtssæde og største by er Hendersonville med 13.000 indbygge-
re. Amtet blev oprettet i 1838 og er opkaldt efter Leonard Henderson, en tidligere præsident for USA's Højesteret. Hvis man gerne vil se Kelly McGillis, der havde den kvindelige hovedrolle i Tony Scott filmen "Top Gun" fra 1986, skal man besøge Hendersonville, hvor hun bor, men man skal nok være heldig for faktisk at møde hende. Det er aldrig sket for mig, så vidt jeg ved, men jeg ville alligevel ikke genkende hende, hvis jeg gjorde.

Ud over Hendersonville er kun en by kategorisere som "city", nemlig Saluda med hele 700 indbyggere – og en stor del af Saluda ligger i naboamtet, Polk County. I amtet findes der såvel towns som uincorporated communities med flere indbyggere. Saluda er berygtet for sine mange jordskælv, men heldigvis er de ikke særligt kraftige. De kraftigste indtil videre har været omkring tre på MMS skalaen og langt de fleste ligger mellem et og to.

I Hendersonville kan man besøge adskillige museer, som fx The Mineral and Lapidary Museum, et museum om mineraler, ædelsten og stenslibning. Domhuset fra 1905 og Henderson County Heritage Museum kan også være interessante, og det samme kan Moss-Johnson Farm, en tidligere tobaksplantage uden for byen.

I den lille by Gerton på US Route 74A, nordøst for Hendersonville, kan man møde "Sam, the Original Carolina Hillbilly", hvis han stadig er der, hvilket jeg desværre ikke kan bekræfte, da han ikke har været at træffe ved mine to seneste besøg. Han er en ældre mand med et langt, hvidt skæg, der typisk optræder i cowboybukser, cowboyhat og med nøgen overkrop. Sam plejer at være klar til et billede med turister (en donation er altid på plads), og han holder af at fortælle en god historie, og hører også gerne en igen.

De fleste muligheder for overnatning findes i Hendersonville og i området syd for byen langs Interstate Highway 26. Kædehotellerne dominerer, men man kan finde et B&B eller to. Mountain Inn and Suites er ok, og de samme er Melange B&B. Best Western Henderson Inn er også en mulighed, og på hotellets område finder man en mexicansk restaurant, El Paso, der serverer god mad og godt øl, hvis man kan lide mexicansk. God mad får man også på Moe's Original Bar B Que i Hendersonville, og så ligger der selvfølgelig de sædvanlige kæderestauranter ved motorvejsafkørslerne.

Iredell County

Iredell County er det andet af de fire amter, jeg har tilføjet for egen regning, og i gennemgangen af dette amt, vil jeg endda tage ef afstikker endnu længere mod øst. Når jeg har valgt at inkludere  amtet, er det dels fordi, det faktisk ligger vest for nogle af de amter, der faktisk er omfattet af betegnelsen WNC, men også fordi jeg synes, at der er mange spændende ting at se i dette amt.

Iredell county blev grundlagt helt tilbage i 1788. Amtet er opkaldt efter James Iredell, der var en af de oprindelige dommere i USA's Højesteret, som blev udpeget af George Washington selv. Iredell County dækker et areal på 1.546 km², og har lidt under 160.000 indbyggere. Amtssædet er Statesville med 25.000 indbyggere og største by er Mooresville med 32.000. Statesville var oprindeligt kendt som Fourth Creek Congregation fordi den lå ved den fjerde bæk (Fourth Creek) vest for Salisbury. Da byen blev valgt som amtssæde i 1789, blev den så omdøbt til Statesville. De to nævnte byer er cities, mens Harmony og Love Valley med henholdsvis 530 og 100 indbyggere er towns, og Union Grove (2.000 indbyggere) er et unincorporated community.

Selv om det meste af amtet ligger i piedmont-regionen, er der enkelte bjerge, ikke mindst i den nordvestlige del af amtet, hvor man finder de østligste udløbere af Brushy Mountains. To af de interstates, der går gennem North Carolina, I-40 og I-77 mødes lige uden for Statesville. Fra nord til syd er amtet godt 80 km langt, hvilket gør det til et af de længste amter i North Carolina. Statesville har en lille lufthavn, men den beflyves ikke af kommercielle selskaber.

Som i så mange andre amter, der er omtalt i denne guide, gik der tidligere passagertog til og gennem Iredell, men i dag anvendes linjerne kun til fragt. I 1891, mens der stadig kørte passagertog, indtraf den værste togulykke i North Carolinas historie lige uden for Statesville. Et passagertog var lige kørt fra byens station, da det blev afsporet og faldt ned i en kløft på vej over en bro, der førte sporene over Third Creek. Broen hed dengang som nu Bostian Bridge efter den familie der ejede området omkring den, da den blev bygget. Kilderne er ikke helt enige, men mellem 23 og 26 blev dræbt ved ulykken og mange flere såret. Undersøgelser viste, at de spiger, som skulle holde skinnerne fast til svellerne, var blevet fjernet på et længere stykke. Først seks år senere fandt man de skyldige, som på det tidspunkt sad i fængsel for andre forbrydelser. Natten mellem den 26. og 27. august kan man stadig – siges det – høre lyden af toget, som bliver afsporet, og skrigene fra passagerne. Nogle mennesker har rapporteret, at de har mødt en ældre mand i en gammeldags jernbaneuniform, der spurgte dem, hvad klokken var, og når de så op fra deres ur, var han væk. "Spøgelsesjægere" besøger ofte stedet den pågældende nat, og i 2010 gik det galt for en sådan "jæger". En gruppe mennesker var gået ud til broen for at opleve spøgelsestoget. En af dissse, en ung mand, var sammen med sin kæreste gået helt ud på broen, for at få et bedre overblik. De hørte også lyden af et tog, der nærmede sig, men desværre var det ikke et spøgelsestog, men derimod et forsinket godtog, og det kørte ikke gennem ham, som spøgelsestoget skulle have gjort. Den unge mand blev dræbt på stedet, men han nåede at skubbe sin kæreste ned fra broen og hun slap med en brækket ankel og andre mindre skader. Broen kan ses fra Buffalo Shoals Road i udkanten af Statesville på en afstand af omkring 200 m. Piedmont-området i North Carolina har mange sådanne spøgelseshistorier. Jeg vender tilbage til nogle af disse senere i guiden.

I den nordlige udkant af Statesville finder man Fort Dobbs Historic Site, hvor der inden for det seneste par år er opført en kopi af det blokhus, der i sin tid udgjorde fortet. Blokhuset åbnede for publikum i september 2019 og entreen er gratis, men en mindre donation er velkommen og forventes. Fortet blev oprindeligt opført i 1755 på ordre fra North Carolinas guvernør, Arthur Dobbs, som fortet blev opkaldt efter. Fort Dobbs nåede kun at deltage i en enkelt træfning, hvor britiske soldater på fortet afviste et angreb fra en lille styrke cherokeekrigere. I 1766 blev fortet opgivet og senere revet ned, og til sidst var alle spor forsvundet, og i mange år vidste ingen præcis, hvor det havde ligget, men stedet blev genfundet ved udgravninger i 2006, og blokhuset, men ikke den omgivende palisade, er nu rekonstrueret. De nederste lag bjælker i blokhuset er 40 x 40 cm og så bliver de mindre opefter, så de øverste "kun" er 20 x 20 cm.

I 1958 udgav Kingston Trioen sangen "Tom Dooley", som tidligere flere gange var blevet indspillet af andre kunstnere, første gang helt tilbage i 1929, men nu blev den et stort hit, og nåede førstepladsen på adskillige hitlister. Samme år blev sangen udgivet på dansk med Four Jacks, og den er indspillet og udgivet på adskillige sprog. Den Tom Dooley, som sangen handler om (i virkeligheden Thomas Dula), blev hængt i Statesville den 1. maj 1868 for mordet på Laura Foster i naboamtet Wilkes County i maj 1866. Henrettelsen fandt sted på en mark ved jernbanestationen syd for byen. Denne jernbanestation er for længst forvundet, og det samme er såvel fængslet, hvor Tom Dooley sad i de halvandet år retssagen mod ham strakte sig over, såvel som domhuset hvor den fandt sted. Men tæt på det sted hvor stationen lå, blev der i 1906 opført en ny stationsbygning, som eksisterer den dag i dag, dog ikke som station. Bygningen, som er bygget af mursten, tjener i dag som hovedkvarter for Statesvillepolitiets Patruljedivision. Andre interessante bygninger i byen er rådhuset, byens civic center, The Old Courthouse (ikke det hvor retssagen mod Dooley fandt sted, men et nyere, som nu igen er afløst af et endnu nyere), Historic Vance Hotel, der pt er tomt mens bystyret overvejer, hvad det skal bruges til. Clocktower Building, en bygning, som oprindeligt blev bygget til First National Bank, men som i dag er hjemsted for byens radiostation, WAME, der spiller countrymusik og bringer nyheder og underholdning, er også interessante.

Oberst Silas Alexander Sharpe House er et historisk hjem, bygget under borgerkrigen, og dette kan besøges, men kun af grupper (og mod entre). Også Vance House, hvorfra Guvernør Zebulon Vance styrede North Carolina i en måned i 1865 efter at Raleigh var faldet til nordstatstropper, er åben for besøg, hvis der altså er nogen til stede til at lukke folk ind. Mitchell Community College er også interessant. Universitetet åbnede i 1856 som et rent kvindeuniversitet, men har optaget studerende af begge køn siden 1932. I dag er der ca. 2.500 studerende på skolen. Og så må man ikke glemme Iredell Museums[11], et lille museum med skiftende udstillinger, inklusive den – i hvert fald lokalt – berømte "Margaret the Mummy", en ægyptisk mumie fra 22. Dynasti (945 – 720 f.v.t.).

Jeg vil også anbefale et besøg i Statesville Historical Collection. Her finder man en stor samling af genstande med tilknytning til Statesville og omegn. Blandt andet en del genstande knyttet til Tom Dooley sagen i form af fx filmplakater og ved mit seneste besøg 46 forskellige versioner af sangen om Tom Dooley på alverdens sprog. Stedet drives af frivillige, som gerne fortæller om udstillingen, og hvad man nu ellers har lyst til at snakke om. Udstillingen har åbningstid mandag til fredag mellem kl. 12 og 17, men eftersom stedet drives af frivillige, kan der være dage, hvor der er lukket. Til gengæld er der også ofte åbent uden for de offcielle åbningstider, så man er altid velkommen til at prøve døren. Er den åben, er man velkommen. Her opkræves ingen entre.

Mooresville er kendt som Race City på grund af sin tilknytning til NASCAR løbene. Mere end 60 NASCAR hold og et enkelt Indy Car hold har hjemsted i Mooresville, hvor man da også finder NC Autoracing Hall of Fame og Memory Lane Museum. Også stationsbygningen, der i dag er et center for kunst under navnet Mooresville Art er et besøg værd. Eller bare en slentretur ned ad hovedgaden med butikker og restauranter.

Kan man lide at ride, eller bare se på heste, bør man besøge Love Valley omkring 25 km nordøst for Statesville. Denne lille bebyggelse med en befolkning på ca. 90 kalder sig selv The Cowboy Capital of North Carolina. Man kan køre til byen, men ikke i den, i hvert fald ikke i cowboydelen af den, men man kan leje heste og komme på guidede rideture i området, og der er også hesteshows ved givne lejligheder. Omkring 10 km nord for Love Valley kan man besøge

---

[11] Jo, det hedder Iredell Museums med flertals 's', fordi det i virkeligheden også omfatter et mindre frilandsmuseum i den nordlige del af byen, Gregory Creek Homestead, som man kan gå en tur rundt i. Bygningerne er dog kun åbne ved særlige lejligheder.

Linney's Water Mill, en vandmølle, der er aktiv og som bl.a. producerer majsmel. Melet (og andre produkter) kan købes i stedets lille butik.

Knap 10 km syd for Statesville ligger den lille by Troutman (2.300) indbyggere. Her er der ikke meget at se, men den korte "hovedgade" har nogle huse, med gamle men genopfriskede reklamevægmalerier. At opmale disse gamle reklamer er blevet meget populært i WNC, og man finder dem i mange byer i området som fx Statesville, Mooresville, Catawba og andre steder. 6-7 km syvest for Troutman ligger Lake Norman State Park ved søen Lake Norman, som er opstået ved en opdæmning af Catawba River. I parken er der mulighed for at gå nogle gode ture, og det er også et af de steder i WNC, hvor man faktisk kan bade fra en strand.

Hvis man alligevel er i Iredell County, og ikke mindst, hvis man er toginteresseret eller har toginteresserede børn med, er en kort udflugt uden for WNC en mulighed, som er værd at overveje. Fra Statesville kan man køre knap 50 km øst på ad US Route 70, eller fra Mooresville 40 km mod nordøst ad NC Route 150. I begge tilfælde er målet Spencer, der i dag er en forstad til Salisbury, amtssæde i Rowan County. I Spencer kan man besøge North Carolina Transportation Museum med tog, fly og biler – dog flest tog og bygninger knyttet til jernbanetransport. På museet kan man endda få en togtur, hvis man har lyst til det. Området, hvor museet ligger, var tidligere kendt som The Spencer Shops eller Spencer Workshops, hvor Southern Railway havde værksteder for sine damplokomotiver. Spencer var tidligere et af selskabets jernbaneknudepunkter, og hvis nogen kan huske den gamle sang, The Wreck of the Old 97, kan man måske også huske disse linjer:

They gave him his orders in Monroe Virginia
Sayin' "Steve you're way behind time
This is not 38, this is ol' 97
You must put 'er into Spencer on time!"

Desværre nåede "The Old 97" aldrig til Spencer, da toget forulykkede i Danville i Virginia, den ulykke, som sangen handler om. Men museet er alligevel spændende. Og når man nu er der alligevel, kan man jo kaste et blik på downtown Salisbury, inden man vender tilbage til Iredell County og WNC.

Som det ofte er tilfældet ved motorveje, er det kædehotellerne og –motellerne der dominerer området, og her skal jeg ikke fremhæve den ene kæde for den anden. Et fremragende B&B i Union Grove nord for Statesville eksisterer desværre ikke længere. Clichy Inn Bed & Breakfast, som ligger inden for gåafstand af bymidten i Statesville, har de senere år været min absolutte favorit på de kanter[12], men der er også andre steder, som fx Grand Kerr House Bed & Breakfast, der også er udmærket. Spisesteder er der mange af i både Mooresville og Statesville. Jeg må dog med skam indrømme, at jeg kun en enkelt gang har spist noget i Mooresville. Det var en italiensk sandwich på et sted, der kalder sig Tim's Table, men sandwichen var til gengæld god. Jeg har bedre styr på restauranterne i Statesville, som jeg da også har besøgt noget oftere end Mooresville. Prøv fx Risto's Place Food and Spirit, som serverer en fremragende Veal Picata, eller hvad med Twisted Oak i samme bygning som Risto's? Her fik jeg ved en lejlighed en burger, som var så stor, at jeg simpelthen ikke kunne spise mig gennem den – men de har godt øl. Også Café 220 og den italienske Mezzaluna II serverer god mad, og er man til burger, må man ikke gå glip af Broad Street Burger Co. Men der er mange andre steder i byen, så som Groucho's Deli og D'Laneys. Og så har byen to mikrobryggerier, Fourth Creek Brewing Company og Red Buffalo Brewing Company.

Nord for Statesville ved et vejkryds nord for Union Grove er der måske - eller også er der ikke - en lille restaurant. I de senere år har den af og til været åben og af og til lukket, når jeg har besøgt området. Den har har også haft skiftende navne undervejs, fra Korner Kitchen til Gaby's Diner tilbage til Korner Kitchen og for nylig til Farmer's Kitchen. Når jeg har besøgt stedet, og der har været åbent, har jeg altid fået såvel en god sludder med de lokale (og det er et sted, hvor der kommer flest lokale) som rigtig god mad. Jeg kan dog ikke borge for den nuværende kvalitet, da den seneste gang, jeg spiste på stedet, var i 2015, da det hed Korner Kitchen – for anden gang. Stedet er nemt at overse, men man finder restauranten i krydset mellem Union Grove Road og Buck Shoals Road i udkanten af North Carolinas amishområde.

---

[12] Desværre har Lori Drury, der drev stedet, solgt det pr. 1. oktober 2020, men de nye ejere driver det videre under navnet Inn on Front Street.

Jackson County

Jackson County, grundlagt i 1851, dæk-
ker et areal på 1.300 km² og har en be-
folkning på 40.000. Amtet er opkaldt
efter USA's 7. præsident, Andrew Jack-
son. Amtssæde og største by er Sylva

med 2.600 indbyggere. Amtet var en del af det område, som cherokeestammen
blev tvunget til at forlade i 1838, og selv om en mindre del af Qualla Boundary
(se side 48) ligger inden for amtets grænser, udgør andelen af oprindelige ame-
rikanere kun 1,3 % af befolkningen.

En stor del af amtet ligger i den bjergkæde, der kaldes Plott Balsam Mountain
Range, og Sylva ligger i en højde af 800 m.o.h. En legende fortæller at Sylva
er opkaldt efter en dansk håndværker, Sylva, som tilbragte nogen tid i området,
før byen blev grundlagt, men legenden tager fejl. Mandens navn var ikke Sylva
(som jo heller ikke er et typisk dansk efternavn), men Selvey, og han var efter
al sandsynlighed ikke dansker, men måske skotte.

Oprindeligt var byen Webster (i dag 360 indbyggere) amtssæde, men i 1913
blev det administrative centrum flyttet til Sylva, der der blev anlagt en jernbane
gennem denne by, men som jeg har nævnt flere gange, går der ikke længere
passagertog gennem amtet. Det stoppede i 1948; og dog – se nedenfor. Det
gamle domhus er værd at se. Det ligger på toppen af en bakke og en trappe fører
op til bygningen.

Lidt mindre end 3 km vest for Sylva ligger Dillsboro med en befolkning på 230
mennesker. Byen er et populært mål for turister, ikke at der er meget at se bort-
set fra nogle få huse, som er optaget i National Register of Historic Places. Des-
uden kan man finde en butik, der sælger julepynt hele året og en lille chokola-
defabrik. Og byen er endestation for Great Smoky Mountains Railroads turist-
linje fra Bryson City langs Tuckasegee River; mere om denne jernbane, når jeg
kommer til Swain County. Også en del turister på vej til Great Smoky Moun-
tains National Park eller Harrah's Cherokee Casino gør ophold i enten Sylva
eller Dillsboro.

8 km syd for Sylva finder man det tættest befolkede område i amtet, et census-designated place ved navn Cullowhee, med flere end 9.000 indbyggere. Cul-lowhee er hjemsted for Western Carolina University med næsten 10.000 stude-rende. Bebyggelsen er opkaldt efter en overnaturlig skikkelse, Joolthcullahwee, en stor kriger og jæger, som i henhold til cherokee'ernes mytologi boede i om-rådet for mange generationer siden.

Et antal nu forsvunde cherokeelandsbyer lå i det, der nu er Jackson County, så som fx Paint Town og Wolf Town, og dele af US Route 19 mellem Maggie Valley og Cherokee er opkaldt efter disse landsbyer. Den landsby, hvor forfæd-rene til en del af de nuværende medlemmer af Eastern Band of Cherokee Indi-ans boede før 1838, Quallatown eller Indiantown, lå i også Jackson County, men bortset fra navnene har ingen af landsbyerne har efterladt spor i dag.

Der er enkelte indkvarteringsmuligheder i Sylva, men taget i betragtning at Sylva kun ligger omkring 15 km fra Cherokee i Swain County med mange flere muligheder, vælger mange at fortsætte hertil. Jeg har aldrig selv tilbragt en nat i Jackson County, men man kan finde "de sædvanlige" kædemoteller, og der er også enkelte B&B og kroer. Der er masser af steder at spise i såvel Sylva som Dillsboro og også et par steder i Cullowhee – de studerende skal jo også have mad. Prøv Soul Food Infusion Tea House and Bistro, hvor der ofte er levende musik, eller hvis man er til fisk og skaldyr er Creekside Oyster House and Grill udmærket. Også Haywood Smokehouse i Dillsboro serverer god mad.

Lincoln County

Lincoln County er endnu et af de am-ter, jeg har tilføjet til guiden ud over den offcielle defintion på WNC, Lin-coln, ligger lige nord for Gaston County, og faktisk udgjorde de tidli-  gere et enkelt amt. Lincoln County er blevet opdelt og slået sammen med dele af andre amter ved flere lejligheder siden oprettelsen i 1779; sidste gang i 1846, da amtet blev del op i to nogenlunde lige store dele, hvor Lincoln forblev den nordlige del, mens den sydlige del blev til Gaston County. I dag dækker amtet et areal på 795 km^2 og har en befolkning på 78.000. Amtssædet er Lincolnton, der også er den største by med 10.000 indbyggere. Amtet, såvel som amtssædet er opkaldt efter Benjamin Lincoln, der under Uafhængighedskrigen var George Washingtons næstkommanderende i en periode. Lincolnton er den eneste "city" i amtet, som også kun kan prale af en enkelt town, Maiden, som for størstedelens vedkommende faktisk ligger i Catawba County. Men, og det er absolut ikke uvæsentligt; i amtet ligger et lille unincorporated community ved navn Polkadot! Og at bo et sted, der hedder "polkaprik", er da så interessant, at man må besøge stedet, selv om der absolut intet er at se. Polkadot ligger omkring 1,5 km syd for Lincolnton ad County Road 1238.

Der er i det hele taget ikke meget at se i Lincoln County, men amtet kan prale af to generaler fra Borgerkrigen, Robert Hoke og Stephen Dodson Ramseur, der begge var født i Lincolnton. Også James Pinkney Henderson, som blev den første guvernør over Texas, da denne stat blev optaget i USA i 1845, var fra Lincolnton. Amtet har en enkelt attraktion, Mundy House and History Center of Eastern Lincoln County. Navnet er faktisk mere imponerende end stedet, der byder på et gammelt hus og en urtehave, og det er så nogenlunde, hvad der er.

Indkvarteringsmulighederne er kædemoteller i og omkring Lincolnton samt B&B'et White Rose Manor i samme by, men heldigvis er man ikke langt fra Hickory i Catawba County med mange flere steder at bo (37 km nord for Lincolnton ad US 321). Det er flere steder, hvor man kan få noget at spise. Omkring Lincolnton er der en del kæderestauranter, men også nogle lokale steder. Blandt de bedre er Johnny's Mexican American Bar & Grill, hvor jeg kan anbefale deres fajitas eller en jalapeño burger – eller til frokost bare en salat med grillet kylling. Også The BBQ King serverer et godt måltid. Prøv fx en af deres "trays" eller "plates". Jeg sætter fx pris på deres Fried Flounder Filets Plate.

Macon County

Macon County grænser op til Jackson County mod øst, Clay og Cherokee mod vest, Graham mod nordvest og Swain mod nord. Mod syd grænser amtet op til Georgia. Amtet blev grundlagt  i 1828 og har sit navn fra Nathaniel Macon. Han var formand for Repræsentanternes Hus mellem 1801 og 1807, medlem af USA's senat fra 1815 til 1828 og fra 1826 til 1827 var han viceformand for Senatet med titlen "President pro tempore of the United States Senate". I praksis er viceformanden den, der leder senatet, da USA's Vicepræsident formelt er formand, selv om han eller hun ikke er senator og ofte er fraværende fra møderne.

Amtet dækker et areal på 1.350 km², som brødføder en befolkning på ca. 34.000. Amtssæde og største by (town) er Franklin med lige under 4.000 indbyggere. Hvor i dag Franklin ligger ved bredden af Little Tennessee River, lå tidligere Nikwasi, en af cherokeestammens vigtige landsbyer. Det var i Nikwasi, at englænderen Alexander Cummings i 1730 overtalte nogle få medlemmer af stammen til at indgå en slags traktat, der anerkendte Storbritanniens overhøjhed, selv om han kun var selvudnævnt repræsentant ikke en officiel udsending fra kongen. Med denne traktat blev byhøvdingen Moytoy af Tellico gjort til "kejser" af cherokeestammen, selv om kun ganske få medlemmer af stammen anerkendte Moytoys "overhøjhed", mens resten af stammen fortsatte tilværelsen som om intet var hændt, og den britiske overhøjhed kendte de heller intet til. Cummings overtalte dog syv cherokeekrigere til at rejse med ham til London, hvor han introducerede dem ved hoffet som vigtige høvdinge – hvilket ingen af dem var, selv om en enkelt af dem skulle blive det senere. En lille høj i Franklin og en Historical Marker viser, hvor landsbyens rådshytte dengang stod.

Selv om man befinder sig i den sydvestlige del af staten og ikke i High Country, er man stadig i bjergene. Franklin ligger 650 m.o.h. og amtets eneste anden "town", Highlands ligger 1.250 m.o.h. En del af Nantahala River løber gennem amtet, og da det er en af det østlige USA's mest populærer floder at dyrke whitewater rafting på, tiltrækker den en del turister til amtet. Om vinteren er det skiturister, der strømmer til, og de kommer især til Highlands. Er man interesseret i at se små vandfald, er der nogle stykker af dem i amtet, som er let tilgængelige. Fire ligger tæt på hinanden langs med US Route 64 mellem Franklin og Highlands: Cullasaja Falls, Quarry Falls og Dry Falls ligger alle på Cullasaja River, mens Bridal Veil Falls, som absolut ikke må forveksles med faldet af samme navn ved Niagara, ligger på en lille biflod til Cullasaja. Ved Bridal Veil Falls kan man gå en tur bag vandfaldet, og det er muligt at bade flere steder i Cullasaja River. Det er populært for børn at bruge den nederste del af Quarry Falls som "vandrutsjebane" om sommeren, og vandfaldet har da også fået kælenavnet "Bust-Your-Butt-Falls".

120

Der er en del miner i amtet, som er åbne for offentligheden, hvor man "vaske" ædelsten. Blandt disse miner er Mason Sapphire and Ruby Mine, Rose Creek Mine og Sheffield Mine, alle i nærheden af Franklin. De fleste af de ædelsten man evt. finder er dog bragt til "minerne" andre steder fra, men man kan være heldig at finde lokale sten.

Hoteller og moteller er koncereret i og omkring Franklin og Highlands, mens der rundt omkring i amtet er flere steder, hvor man kan leje hytter. Også spise-stederne er koncentreret i de to byer. Haywood Smokehouse, som også er nævnt under amterne Haywood og Jackson, er også til stede her i Macon. Gazebo Creekside Café er en dedikeret sandwichbar, som er glimrende at besøge til frokost. Er man til mere solid aftensmad, bør man prøve Ms. Louis Restaurant, hvor det for nyligt er blevet muligt at betale med kreditkort. Indtil for et års tid siden var det "cash only".

Madison County

Hvis man husker filmen "Broerne i Madison County" fra 1995 med Clint Eastwood og Meryl Streep, så har den intet med dette amt at gøre, da den fo-regår i Iowa. Der er slet ingen overdækkede broer i dette amt, men til gengæld kan man se en række historiske lader, og man kan faktisk komme på guidede ture rundt til nogle af disse lader med Appalachian Barn Alliance.

Madison County ligger i den vestlige del af WNC og grænser op til tre amter i Tennessee mod nord, nordvest og nordøst. Amtssædet er Marshall, der har færre end 900 indbyggere, mens Mars Hill med 1.800 indbyggere er den største by. Den samlede befolkning i amtet udgør ca. 20.000 mennesker, og de deler et område på 1.170 km^2. Madison County blev grundlagt i 1851 og er opkaldt efter USA's fjerde præsident, James Madison. French Broad River løber gennem am-tet, og Marshall ligger ved bredden af denne flod.

Mars Hill er hjemsted for Mars Hill University, et privat universitet grundlagt i 1856 af medlemmer af det lokale baptistsamfund. Det er det ældste universitet i WNC og har omkring 1.500 studerende. En del af Pisgah National Forest lig-ger i amtet, hvor man også finder den eneste varme kilde i North Carolina.

Denne kilde, hvorfra der flyder 37 ° varmt vand, ligger i en lille by (560 ind-byggere), kaldet Hot Springs, omkring 8 km fra grænsen til Tennessee, hvor en lille bæk, Spring Creek, flyder ud i French Broad River.

Der er nogle få overnatningsmulighder i Mars Hill og nogle hytter, man kan leje i den nordlige del af amtet, og der er natuligvis også steder, hvor man kan få noget at spise både i Marshall og Mars Hill, men jeg har hverken overnattet eller spist i amtet, selv om jeg har gjort et kort ophold på universitetet, så ingen anbefalinger her.

Smaragd fra Emerald Hollow Mine i Hiddenite, Alexander County. Billedet snyder en del, da smaragden (den grønne sten) kun er knap 1 cm lang.

Alleghany Countys administrationskontor i Sparta. Sådanne steder ses større i andre amter.

Udsigt over West Jefferson fra toppen af Mount Jefferson i Ashe County.

"The Old Hotel" i West Jefferson lige inden en tordenstorm brød løs.

Protester mod denne "øjenbæ" på toppen af Sugar Top i Avery County medførte et forbud mod at opføre den slags bygninger på bjergtoppe i hele North Cartolina.

Lavthængende skyer ved Banner Elk, Avery County.

Linn Cove Viaduct fører Blue Ridge Parkway rundt om Grandfather Mountain I Avery County. Her en efterårsdag.

En sti fører under viadukten, og her kan man se mange forskellige vilde blomster om foråret.

Zebulon Vance Birthplace i Reems Creek uden for Weaverville, Buncombe County. I dag er stedet museum, og man kan bl.a. se en af de hytter, hvor familiens slaver boede.

Burke County Courthouse i Morganton er i dag museum, som mange andre "pensionerede" domhuse. Statuen foran domhuset forestiller Sam Ervin (1896 – 1985), medlem af USA's senat og formand for Watergate kommissionen, som undersøgte præsident Richard Nixon i 1974.

Brown Mountain på grænsen mellem amterne Burke og Caldwell. Her kan man, hvis man er heldig, opleve mystiske lys, som man endnu ikke har fundet en videnskabelig forklaring på.

Chapel of Rest uden for Patterson, Caldwell County, anvendes ikke længere som kirke, men man kan stadig blive gift i kapellet, og der afholdes af og til koncerter med klassisk musik.

Bag det lille, hvide stakit midt i billedet finder man Laura Fosters grav. Laura var pigen, som den fra sangen berømte Tom Dooley blev anklaget, dømt og hængt for at have myrdet. Graven findes ved North Carolina Route 268 i Caldwell County, øst for amtssædet Lenoir.

Mariah's Chapel fra 1875 på Grandin Road i Caldwell County, øst for amtssædet, er optaget i National Register of Historic Places.

Fort Defiance fra 1792 var hjem for General William Lenoir, grundlægger af Wilkesboro. Huset, som i dag er museum, ligger ved NC Route 268 i Caldwell County, øst for amtssædet Lenoir.

Twin Poplars i den nordlige udkant af Lenoir er et helligt sted for cherokeeindianerne. Sagnet fortæller, at som symbol på en fredsslutning med catawbastammen bandt man to unger træer sammen, og efterhånden voksede de sammen til et træ.

Murray's Mill findes på Murray's Mill Historic Site, et lille frilandsmuseum nær landsbyen Catawba i Catawba County.

Bunker Hill Covered Bridge i Claremont, Catawba County.

Cherokee County Courthouse i Murphy er bygget af lokal, blå marmor.

Bygning på Gardner-Webb University i Boiling Springs, Cleveland County.

Junaluskamuseet i Robbinsville, Graham County er lille, men interesant, hvis man interesserer sig for cherokeestammen. Junaluska selv ligger begravet på bakken over museet.

Cheoah Dam i Graham County. Her blev dæmningsscenerne fra Harrison Ford/Tommy Lee Jones-filmen Flygtningen fra 1993 optaget.

Fontana Dam på grænsen mellem amterne Graham og Swain er den højeste i det østlige USA
og Appalachian Trail passerer over dæmningen.

Maggie Valley i Haywood County er et skisportssted, hvilket fremgår af skiltene.

Fort Dobbs Historic Site i den nordlige udkant af Statesville, Iredell County anno 2015.

Og Fort Dobbs anno 2019, hvor en kopi af det oprindelige fort stod færdigt.

Love Valley, Iredell County, kalder sig selv for North Carolinas cowboyhovedstad.

Lake Norman State Park sydvest for Statesville i Iredell County er et af de steder i WNC, hvor man kan bade fra en sandstrand.

Statesville Historical Collection har en stor samling relateret til Tom Dooley, som blev hængt i byen.

I Spencer (Rowan County) lige øst for WNC finder man North Carolina Transport Museum. Her det såkaldte "round house" med værksteder til damplokomotiver.

Administrationsbygningen på Western North Carolina University I Cullowhee, Jackson County.

Jackson County Courthouse i amtssædet Sylva ligger smukt på en bakketop.

Nikwasi Mound I Franklin, Macon County. Her stod rådshytten, da cherokeelandsbyen Nikwasi lå på stedet.

Man kan både gå og køre bag Bridal Veil Falls ved US Route 64 i Macon County. Der var dog lukket for kørsel ved denne lejlighed.

Pilespidsen i Old Fort, McDowell County symboliserer det sted, hvor det gamle fort, der har givet byen navn, stod.

Drypsten i Linville Caverns ved US Route 221, McDowell County

McDowell County

Før europæerne slog sig ned i det område, som skulle blive til McDowell County i den centrale del af WNC, kæmpede cherokee- og catawbastammerne om området. Den første europæer, der slog sig her, var en pelsjæger, der var kendt som "Hunting John" McDowell, men det er nu ikke ham, der har givet navn til amtet. Det har derimod hans nevø, Joseph McDowell, en af heltene fra Slaget ved Kings Mountain under Uafhængighedskrigen, og senere medlem af USA's kongres. Han var kendt som "Quaker Meadows" McDowell, for at skelne ham fra en fætter, som også hed Joseph McDowell, som også havde kæmpet ved Kings Mountain og som også var medlem af kongressen. Fætteren var kendt som "Pleasant Gardens" McDowell, og begge fætre havde deres tilnavn fra navnet på de ejendomme, de ejede[13]. Amtet dækker et areal på 1.155 km^2, og har en befolkning på omkring 45.000. Amtet blev grundlagt i 1842, da det blev dannet af dele af amterne Burke og Rutherford. Den østlige del af amtet ligger i The Foothills, mens den vestlige del ligger i bjergene i Land of the Sky. Dele af Blue Ridge Parkway, Pisgah National Forest og Lake James State Park ligger i amtet.

Den eneste by med status af "city" er amtssædet, Marion, med 7.800 indbyggere. Derudover har amtet en enkelt "town", Old Fort, med 900 indbyggere. Linville Falls er et unincorporated community, som jeg allerede har omtalt under Burke County, og denne bebyggelse ligger faktisk der, hvor amterne Avery, Burke og McDowell mødes. Marion ligger ved I-40 (eller rettere I-40 passerer Marion) knap 55 km vest for Morganton i Burke County, og også Old Fort ligger nær denne interstate, yderligere knap 20 km mod vest.

Omkring 8 km nord for Old Fort ad North Carolina Road 1407 kan man besøge en kunstig gejser, Andrews Geyser, der i sin tid (1885) blev anlagt for at mindes de 120 arbejdere, der omkom under arbejdet med at anlægge jernbanelinjen

---

[13] Faktisk er det muligt at amtet er opkaldt efter "Pleasant Gardens" og ikke "Quaker Meadows". Kilderne blander ofte de to sammen, men den nævnte forklaring er den, der oftest gives.

mellem Old Fort og Asheville i Buncombe County. For at spare vand lader man kun gejseren springe ved særlige lejligheder, og kommer man, når den ikke springer, ligner det bare et springvand med en tom og udtørret kumme. I selve Old Fort kan man beundre den gamle stationsbygning og det kombinerede rådhus og politistation foruden et monument i form af en godt fire meter høj pilespids hugget i granit, placeret på et 5 m højt fundament af natursten. Monumentet symboliserer det gamle fort, der har givet navn til byen. Fortet blev opført som tilflugssted for beboerne af de omkringliggende farme i tilfælde af angreb fra fjendtlige indianere. For tiden er man ved (andetsteds i byen) at opføre en kopi af det gamle fort. I den gamle stationsbygning kan man besøge Old Fort Railroad Museum.

I Marion kan man besøge Carson House fra 1793 (som dog ikke har åbent hver dag, så kontroller aktuelle åbningstider på nettet). Huset har tjent forskellige formål gennem tiden; blandt andet har det været diligencestation og kro, og flere historiske skikkelser har besøgt huset, som fx Sam Houston, Andrew Jackson og Davy Crockett. Også en ret ukendt man ved navn David Kanipe har boet i huset. Kanipe var en af de kun to soldater, der overlevede Custers sidste kamp ved Little Big Horn i Montana, fordi han og en anden soldat blev sendt af sted som kurerer umiddelbart før det slag, der skulle blive kendt som "Custer's Last Stand", begyndte. Også Joseph McDowell House plejer at være åbent for offentligheden, men det blev lukket i 2017 på grund af renovering, og denne var tilsyneladende endnu ikke afsluttet ved mit besøg i 2019. Byens vartegn er ikke, som mange andre steder, en offentlig bygning som fx råd- eller domhuset, men derimod en bank, som har en interessant kuppel, mens domhuset er en ret kedelig firkantet "klods". Siden 2018 har Marion, der har det interessante motto *"Where Main Street Meets the Mountains"*, afholdt en årlig Bigfoot Festival – jo den er god nok; der er også historier om Bigfoot i North Carolina. I oktober afholdes Mountain Glory Festival og også denne by afholder – som Shelby i Cleveland County en "Livermush Festival". Byen har i øvrigt navn efter revolutionshelten, Brigadegeneral Francis Marion, der var kendt som "The Swamp Fox". Hovedpersonen i Mel Gibson filmen "The Patriot" fra 2000 var delvist baseret på Francis Marion.

I den nordlige del af amtet kan man besøge Linville Caverns (indkørsel fra US Route 221). Linville Caverns er de eneste drypstenshuler i North Carolina, der er åbne for offentligheden. De blev opdaget i 1822 og ligger på privat grund, men man kan komme på en guidet tur mod betaling. I hulerne kan man se flagermus (hvis man er heldig) samt daddy longlegs (en art af såkaldte mejere, der ikke har et dansk navn, men som navnet antyder har de lange ben.) I en underjordisk flod kan man se blinde ørred (blinde, fordi de lever hele deres liv i mørke), og selvfølgelig kan man også se drypsten. Hulerne holder hele året en temperatur på 10 ° celsius, så det kan være en god idé med en jakke eller trøje.

Kan man lide snoede veje, og er endnu ikke blevet træt af sving, vil jeg anbefale en tur på "Devil's Whip", en strækning på NC Road 80 mellem US Route 70 og Buck Creep Gap. Vejen starter ved US 70 lige efter Carson House i Marion, og det lykkedes i 2012 for min søn og jeg at komme til at køre på den ved en fejltagelse, efter at vi havde mistet overblikket over, hvor vi var efter en omkørsel. Vores gps fungerede ikke, og vejen var for lille til at være afsat på det kort, vi havde med på den tur. Ved senere lejligheder har jeg kørt på vejen flere gange, og med fuldt overlæg. På de 18 km, den relevante strækning er lang, stiger vejen ca. 600 m og der er 160 sving, hvoraf nogle af dem er ret skarpe. De sidste knap 5 km (3 miles) før man når Buck Creek Gap, stiger vejen 365 m og man skal gennem 50 sving. Denne del af vejen er kendt som "The Longest Three Miles", og på en af mine YouTube kanaler har jeg en ni minutter langt video fra denne strækning, optaget med mit frontrudekamera[14]. Og selv om man når Buck Creek Gap, er det ikke helt overstået. 4 – 5 km nord for Buck Creek passerer man Mount Mitchell Golf Course (her er man faktisk kørt ind i Yancey County), og lige derefter når man til "Dead Man's Curve". Hastighedsgrænsen rundt i dette sving er kun 15 miles (25 km) i timen, og alligevel sker der hvert år uheld med dødelig udgang, deraf navnet. Jeg har nu ikke haft problemer; man skal bare tage det roligt og overholde hastighedsgrænsen.

De fleste indkvarteringsmuligheder ligger omkring Marion og i bjergene nord for byen. Kædemoteller dominerer, men der er også nogle B&B. Jeg har ikke boet på nogen af dem, men har hørt, at Inn on Mill Creek nord for Old Fort skulle være god. Man kan spise på McDonald's, Hardee's og Subway i Old

---

[14] Bare søg efter "En tur på Devils Whip, NC Route 80 - The longest 3 miles" på YouTube.

Fort, men hvis man vil have mere end fast food, skal man nok til Marion. Jeg er ikke alt for bekendt med restauranterne i dette område, men Countryside Restaurant er god, og de serverer også morgenmad. Min egen favorit er deres Center Cut Country Ham med bagt kartoffel og salat, men der er mange andre ting på menuen, og så er det ikke specielt dyrt.

Mitchell County

Mitchell County blev grundlagt tilbage i 1861, hvor det blev skabt ved sammenlægning af dele af fem andre amter. Amtet har navn efter geologen Elisha Mitchell, som udforskede området  i 1840'erne, og som også har givet navn til bjerget Mount Mitchell i Yancey County. Amtet dækker et areal på 575 km^2 og befolkningstallet er 15.000. Amtssædet er Bakersville med færre end 500 indbyggere, og den største by er Spruce Pine med 2.500. Disse to byer er klassificeret som "towns", og det er de eneste i amtet, som til gengæld har 13 unincorporated communities, hvoraf den mest interessante nok er Little Switzerland. Befolkningstætheden er lav i amtet, færre end 30 pr. km^2 mod Danmarks 135 pr. km^2. Som i mange andre amter i denne del af WNC ligger såvel en del af Blue Ridge Parkway som en del af Pisgah National Forest i amtet.

Spruce Pine er en relativ ny by, som først blev grundlagt i 1907, da jernbanen kom til området. Omkring byen ligger Spruce Pine Mining District i en del af Toe River Valley, et af de områder i verden, der er rigest på mineraler og ædelsten. Her brydes fx kaolinit, glimmer (på engelsk "mica", som har givet navn til byen Micaville i naboamtet Yancey), kvarts og feldspat. Området er en af de vigtigste leverandører af højkvalitetskvarts til fremstillingen af mikrochips. Spruce Pines historiske downtown kan være interessant at se, og i august afholdes der North Carolina Mineral and Gem Festival, men ellers er der ikke meget af interesse i byen.

Ca. 8 km syd for Spruce Pine ad US Route 226 finder man Museum of North Carolina Minerals ved en af tilkørslerne til Blue Ridge Parkway. Det lille museeum drives af National Park Service, og der er gratis adgang. I Emerald Village ca. 10 km længere mod vest ad mindre veje, og tæt på Little Switzerland,

144

ligger North Carolina Mining Museum med tilhørende souvenirbutik. Dette er et privat musem, og der opkræves entre, hvis man vil ned og se minen, som ligger under souvenirbutikken. I butikken kan man købe såvel rå som polerede mineraler og halvædelsten, hvoraf nogle er lokale, mens andre er importeret udefra. Der er også "miner" i amtet, hvor man selv kan vaske ædelsten, eller i hvert fald forsøge på det. Jeg skal ikke nævne dem alle, men man kan prøve Gem Mountain Gemstone Mine eller Rio Doce Gem Mine, og der er flere andre.

I Burke County kapitlet fortalte jeg om en henrettelse, der fandt sted i Morganton i 1833. En 17 år gammel pige, Frances Stuart Silver, kendt som Frankie, blev hængt for at have myrdet sin mand, Charles, kendt som Charlie. Mordet fandt sted da Frankie kun var 16 år gammel den 23. eller 24. december 1831 i en lille bebyggelse, nu et unincorprated community, ved navn Kona, som dengang lå i Burke County, men som nu ligger i Mitchell. Faktisk ligger Kona på NC Road 80, som jeg omtalte under McDowell County på side 143, men noget længere mod nord. I henhold til anklageren blev Frankie jaloux, og slog sin mand ihjel med en økse, parterede liget, skjulte noget af det, og forsøgte at brænde resten i husets ildsted. På den tid måtte en anklaget ikke optræde som vidne i sin egen sag, og derfor fik Frankie ikke lov til at forklare sin side af historien. Da sagen var overstået, og hun var dømt, forklarede hun, at hun havde slået manden ihjel i selvforsvar fordi han i fuldskab truede hende og deres etårige datter med et haglgevær. Efter drabet var hun gået i panik og havde forsøgt at skjule sporene. Vidner fra Kona bekræftede, at Charlie tit var voldelig, når han var fuld, hvilket han ofte var, men dette hjalp ikke. På trods af flere appeller til guvernøren, David Swain, blev dommen ikke ændret, og Frankie blev ikke benådet. Sagen blev gjort kendt gennem en sang, som den lokale skolelærer havde skrevet, og som han falbød på dagen for henrettelsen, "The Ballad of Frankie Silver". Hytten, hvor de to unge mennesker boede med deres datter, er for længst forsvundet, men blokhuset, hvor Charlie voksede op hos sine velstående forældre, står stadig og er stadig beboet. På kirkegården kan man se Charlies grav med tre enkelte sten på. Dele af liget blev fundet på forskellige tidspunkter, og da Silver familien ikke ville forstyrre gravfreden, blev der gravet en ny grav, hver gang noget blev fundet. Makabert? Ja, men altså sandt.

De fleste indkvarteringsmuligheder findes i Spruce Pine og omkring Little Switzerland, der faktisk i sin tid (1909) blev opført som et resort af et firma, som kaldte sig The Switzerland Company. I Little Switzerland finder man blandt andet Switzerland Inn, hvor man også kan spise, Alpine Inn og Big Lynn Lodge. På sidstnævnte er såvel morgenmad som aftensmad inkluderet i værelsesprisen, som til trods for dette ikke er specielt dyr. En af mine bekendte i byen anbefalede i sin tid Richmond Inn Bed and Breakfast i Spruce Pine i gåafstand fra "centrum", og stedet har været min favorit siden. Chinquapin Inn i Penland nordvest for Spruce Pine skulle også være god. Også noget at spise, kan man få i amtet. The Tropical Grill i Spruce Pine er en spændende restaurant, og her serveres mad fra Columbia, Cuba, Argentina, Jamaica, Asien og andre steder i verden, men også amerikansk landkost. Deres Jamaican Jerk Chicken Salad er stærk, men god. Er man til mexicansk kan jeg anbefale El Ranchero, også i Spruce Pine. Deres Chili Verde er fremragende. Bonnie & Clyde's i Bakersville serverer en glimrende frokost. Der er også spisesteder i Little Switzerland, men dem har jeg aldrig prøvet, så her kan jeg ikke anbefale nogen.

Polk County

Polk County er et af de sydlige amter i WNC og grænser op til to amter i South Carolina. Amtet er opkaldt efter William Polk, en officer fra Uafhængighedskrigen. Amtet dækker 619 km², og  er et af de mindre amter i WNC. Amtet har omkring 20.000 indbyggere, og amtssædet, Columbus, har 1.000. Den største by er Tryon med en befolkning på 1.700. Tryon er kendt for sin tilknytning til heste og ridesport, og byens symbol er en legetøjshest i overstørrelse, kaldet Morris, og der er flere andre hestefigurer rundt om i byen.

På amtsgrænsen mellem amterne Polk og Henderson, ligger den lille by (city) Saluda med 700 indbyggere (omtalt under Henderson County på side 110). I sin tid gik der, som i de fleste andre amter, en passagerjernbane til amtet, og senere, da den blev nedlagt, blev der stadig fragtet gods via Saluda, men jernbanelinjen nær byen er meget stejl, faktisk er det den stejleste jernbanestrækning i hele USA med standardsporvidde. I 1880'erne var jernbanen berygtet for de mange uheld, der skete netop omkring Saluda, når togstammerne kom ud af kontrol på stigningen. Således blev der alene i 1880 dræbt 14 mennesker i jernbaneulykker her. Siden 2001 har der ikke kørt tog på linjen, heller ikke godstog.

146

Jernbaneselskabet Norfolk Southern Railway ejer sporene, men i dag er disse afbrudt på hver sin side af Saluda. På et tidspunkt blev det overvejet at etablere et turisttog på strækningen, men disse planer blev opgivet igen. Den første lørdag i juli, fejrer byen den såkaldte Coon Dog Day Festival, og så kan det være svært eller umuligt et finde et sted at parkere, da det meste af byen er lukket, og parkeringspladserne uden for byen er typisk overfyldt. Men festivalen kan være ganske underholdende, hvis man kan lide festivaler i små byer med parader, konkurrencer, levende musik, dans, boder og så videre.

Den største by, Tryon, ligger lige nord for statsgrænsen til South Carolina. Interstate Highway 26 passerer forbi byen, og som sædvanligt findes der en del kædehoteller- og moteller ved frakørslerne. Lidt øst for byen ligger Tryon International Equestrian Center, hvor man kan både bo og spise – og man behøver ikke at have hest med. Saluda Mountain Lodge er et andet godt sted at bo. De fleste spisesteder finder man i Tryon eller Saluda, fx The Orchard Inn i Saluda, hvor man både kan bo og spise. Maden er god, dog ikke nødvendigvis billig, men alt er jo relativt. Menuerne er franskinspirerede, men fremstillet med lokale produkter, og menuen skifter ugentligt. Eller prøv Giardini Trattoria nordøst for Tryon, hvis smagen går i retning af italiensk. Heller ikke dette sted hører til i den billigste kategori.

Rutherford County

Rutherford County grænser op til South Carolina mod syd. Amtet blev grundlagt tilbage i 1779 før afslutningen på Uafhængighedskrigen og det blev skabt ved at udskille de vestlige  dele af Tryon County og på den måde skabe et nyt amt. Tryon County er nu helt ophørt med at eksistere, men amtet var så stort, at ti af nutidens amter foruden dele af yderligere fire lå inden for grænserne af dette kæmpeamt. Og det samme gjorde områder i det nuværende South Carolina på grund af en opmålingsfejl. Rutherfordton er amtsæde, og såvel amt som by er opkaldt efter Griffith Rutherford, en militsofficer fra Uafhængighedskrigen, som senere fik stor betydning for oprettelsen af staten Tennessee i 1796. Amtet dækker et areal på 1.465 km^2, og har en befolkning på 68.000. Den største by er Forest City, som på trods af navnet er klassificeret som "town", ikke som city. Forest City har 7.000 indbyggere, mens amtssædet Rutherfordton må nøjes med 4.200.

Rutherfordton er egentlig ikke særlig interessant efter min mening, men i begyndelsen af det 19. århundrede var byen hjemsted for en guldsmed ved navn Christopher Bechtler. Bechtler var den første i North Carolina, som fremstillede dollarmønter af guld. Bechtlers produktion af gulddollars (kendt som Bechtlerdollars) begyndte 17 år før den føderale regering begyndte at producere mønter. Bechtler udmøntede dollars i tre værdier, $1, $2,50 og $5 i hver sin finhedsgrad af guld, 20 karat, 21 karat og 22 karat. Mønterne havde ry for at være *"af ærlig vægt og finhed"*, hvilket var nødvendigt, hvis folk skulle acceptere dem som betalingsmiddel. Der er ikke mange af disse mønter tilbage, og de handles til høje priser, når de udbydes på møntauktioner; jeg så for nyligt en 5 dollarmønt udbudt til næsten 100.000 dollars. Betchtlers hjem er åbent for offentligheden, og 4-5 km nord for byen ad US Route 221 finder man Bechtler Mint Historic Park, med det gamle mønteri.

Forest City er lidt mere interessant med flere museer, så som fx Bennett's Classical Auto Museum, Rutherford County Farm Museum, og Maimy Etta Black Fine Arts Museum, og ved juletid kan man køre i hestevogn gennem byen, der er oplyst af 500.000 julelys.

Amtet har syv "towns" og en village. Næst efter Forest City er den største by Spindale, som har et par hundrede indbyggere mere end Rutherfordton. En anden "town", Lake Lure, ligger ved bredden af søen af samme navn; en kunstig sø skabt af Dr. Lucius Morse, som ejede området omkring byen tidligt i det 20, århundrede. Dr. Morses hustru navngav stedet, fordi hun mente, at områdets naturskønhed havde lokket hende dertil (lure = lokke). Lake Lure er et af de steder i WNC, hvor man kan bade fra en lille strand.

Ikke langt fra Lake Lure finder man Chimney Rock State Park. I mange år var det familien Morse, der ejede parken, men i 2007 købte staten området og omdannede det til en statspark, som en del af den meget større Hickory Nut Gorge State Park. I parken finder man blandt andet et 128 m højt vandfald, Hickory Nut Falls, en balancerende klippe kaldet Devil's Head og masser af muligheder for vandreture. Mest interessant efter min mening er imidlertid den 96 m høje

148

monolit, som har givet parken navn. Man kan vandre fra parkeringspladsen til toppen af bjerget, hvor man finder en souvenirbutik. Det er dog også muligt at tage en elevator, som er boret op gennem bjerget. Elevatoren ender i souvenirbutikken! Har man taget elevatoren op, og har lyst til frisk luft, kan man gå ned igen af en forholdsvis stejl sti. Fra souvenirbutikken fører en kort gangbro over til toppen af "skorstenen". Det siges, at man fra topppen i klart vejr kan se Grandfather Mountain 120 km væk. Dette kan jeg desværre ikke bekræfte, for de gange, jeg har besøgt stedet, har der enten været tæt tåge, eller en kraftig varmedis. Fra toppen er det muligt at se kalkungribbe og sorte gribbe, der svæver over dalen, og hvis man er heldig en vandrefalk eller to. Parkens slogan er *"Hvis WNC var en popgruppe, ville Chimney Rock være dens 'greatest hits' album"*. Vandfaldsscenerne fra filmen Den Sidste Mohikaner fra 1992 med Daniel Day Lewis er optaget i parken.

Der er gode indkvarteringsmuligheder i Forest City og Lake Lure, både i form af nogle kædehoteller og nogle hytter. Willebrook Inn i Lake Lure er udmærket, og den er ikke for dyr, når man tager i betragtning at Lake Lure er et sted med mange turister. God mad kan man fx få på Copper Penny Grill i Forest City, Scoggin's Seafood and Steakhouse i Rutherfordton og Esmeralda Inn and Restaurant i Chimney Rock, en bebyggelse lige uden for parken. Og sikkert også mange andre steder, som jeg endnu ikke har prøvet.

Stokes County

Stokes County er kendt som et "sove-værelsesamt". Det betyder, at hovedparten af den erhvervsaktive del af befolkningen på 47.000 indbyggere, "sover hjemme", men arbejder i større  byer i naboamterne så som Mount Airy i Surry County, Winston-Salem i Forsythe County eller Greensboro i Guilford County. Når man er i Stokes County, kan man ikke komme længere mod øst eller nord og stadig være i Western North Carolina. Mod nord grænser amtet op til to amter i Virginia, Patrick County og Henry County, der begge er opkaldt efter Patrick Henry, en af USAs "founding fathers", og Virginias første guvernør efter løsrivelsen fra Storbritannien. Stokes County selv er opkaldt efter John Stokes, en militsofficer fra Virginia, som var en af de få, som overlevede den såkaldte Waxhaws Massakre under Uafhængighedskrigen. Denne massakre fandt sted i South Carolina, hvor en styrke af patrioter havde nedlagt deres våben og hejst et hvidt flag som symbol på overgivelse. Alligevel blev patrioterne næsten udslettet af loyalisterne under komando af den britiske oberst, Banastre Tarleton. Det var sandynligvis ikke Tarleton selv, der gav ordre til massakren, da han lå fastklemt under sin døde hest under det meste af slaget, og han forsøgte faktisk at stoppe "slagteriet", da han endeligt kom fri af hesten, og gav ordre til sine mænd om at skaffe hjælp til de sårede patrioter. På trods af det, er det fænomen, at man man dræber soldater, som har overgivet sig, blevet kendt som "*at vise Tarleton barmhjertighed*". "Skurken" i filmen fra 2000, The Patriot med Mel Gibson, også omtalt på side 142, Oberst William Tavington, er delvist baseret på Banastre Tarlington.

Amtet, der blev grundlagt i 1789, dækker et areal på 1.200 km². Amtssædet er Dansbury og den største by er King. Med en befolkning på kun omkring 185 er Dansbury det amtssæde i hele North Carolina, som har færrest ind byggere, mens King har 7.000 indbyggere. Der er endnu en "town" i amtet, Walnut Grove, med en befolkning på 1.400 indbyggere. Endnu et eksempel på, at det ikke altid er den største by, der bliver udpeget som administrativt centrum for et amt. Der er ikke meget at se i Dansbury, som ligger ved bredden af Dan River, bortset fra det gamle domhus, en bygning, som huser den lokalhistoriske samling samt ruinerne af Moratock Iron Furnace i Moratock Park lige uden for byen. Og heller ikke sidstnævnte sted er det meget at se, da nordstatstropper nærmest destruerede støberiet totalt under det, der kaldes Stoneman's Raid mod slutningen af Borgerkrigen, mere på side 172, så det i sig selv er ikke en omvej værd.

King er en smule mere interessant. I det mindste har byen en enkelt attraktion, hvis man er interesseret i ruiner. I King finder man ruinen af "Rock House". En tidlig pioner i området, John Martin, byggede Rock House i 1770 udelukkende af sten han fandt på sine marker. Ruinen er optaget i The National Register of Historic Places. Navnet "King" har intet med konger eller andre royale personer at gøre. Byen hed oprindeligt King's Cabin, opkaldt efter to brødre, Charles og Francis King, som byggede en hytte på stedet i 1830'erne. Brødrene var kvækere og modstander af slaveri, så de flyttede nord på nogle få år senere, men stedet beholdt sit navn, og da jernbanen kom til byen, blev det forkortet til King.

Selv om hele Stokes County ligger i piedmont-regionen, er der faktisk bjerge i amtet. Bjergkæden Sauratown Mountains strækker sig gennem amtets centrum. Denne bjergkæde er kendt som "bjergene, væk fra bjergene", fordi kæden ligger isoleret fra resten af Appalacherne. Den meget eroderede bjergkæde har sit navn fra en nu uddød indianerstamme ved navn Saura eller Cheraw. Kædens højeste punkt er Moore's Knob, der når op i 786 m.o.h., mens de fleste andre toppe når højder mellem 400 og 700 m. Moore's Knob, med et tidligere brandudkigstårn på toppen, ligger i Hanging Rock State Park. Bjergklatrere bruger ofte Moore's Knob, specielt nordsiden af bjerget, der er kendt som Moore's Wall. Indgangen til Hanging Rock State Park finder man omkring otte km uden for Danbury. Parken har navn efter Hanging Rock, et klippefremspring på det 660 m høje Hanging Rock Mountain. Parken er bestemt et besøg værd, ikke mindst, hvis man kan lide at vandre. Der er afmærkede vandreruter klassificeret fra "let" til "anstrengende". En af disse vandreruter fører op til Hanging Rock, og fra dette klippefremspring er der i klart vejr nogle fremragende udsigter over det omgivende landskab. Derud over er der også nogle interessante vandfald i parken, som kan nås på vandreture.

Der er ikke så mange steder at overnatte i Stokes County, men der ligger nogle få B&B i Danbury og lidt flere omkring King. Ligeledes ligger der nogle kædemoteller omkring I-74, der skærer gennem amtet, og amtet ligger ikke langt fra Winston-Salem og Greensboro, hvor der er mange flere muligheder. Pilot Knob Inn i Pinnacle er dog et hyggeligt og mere lokalt sted. Mennesker, der arbejder uden for amtet, spiser tilsyneladende hjemme i privaten, men der er da nogle spisesteder også i Stokes County. Nogle få i Danbury, som jeg ikke har prøvet, og flere i King. John Brown's Grill samt Tlaquepaque Mexican Grill, begge i King, er gode.

Surry County

Surry County ligger i det nordligste North Carolina og i den nordøstlige del af WNC. Amtets facon betyder, at det grænser op til otte andre amter, fem i North Carolina og tre i Virginia. Af de fem amter i North Carolina er Forsyth County det eneste, som falder uden for rammerne af denne guide. Surry County omfatter 1.390 km² og har et befolkningstal på 74.000. Amtet blev grundlagt tilbage i kolonitiden (1771), og var oprindeligt mange gange større, end det er i dag. Amtet er opkaldt efter Surrey County i England, men stavet uden det 'e', som det engelske amt har i sit navn. Amtssædet er Dobson, mens Mount Airy er den største by. De to byer har henholdsvis 1.600 og 10.000 indbyggere. Oprindeligt var amtssædet Richmond i det nuværende Forsyth County, men efter en opdeling af amtet blev amtssædet flyttet til Rockford. Efter endnu en opdeling i 1853 blev det administrative centrum så flyttet endnu engang, denne gang til den på det tidspunkt nyligt grundlagte by, Dobson – selv om Rockford faktisk stadig ligger inden for amtsgrænsen. Dette tidligere amtssæde er i dag reduceret fra at være en "town" til at være et unincorporated community.

Det meste af Surry County ligger i piedmont-regionen, men de vestlige dele strækker sig ind i The Foothills med lave udløbere af Blue Ridge Mountains. Det højeste punkt i amtet er Fisher Peak i netop Blue Ridge Mountains, der når en højde af 1.088 m.o.h. Også Sauratown Mountains, omtalt i forrige kapitel om Stokes County, har en udløber i Surry County. I denne udløber finder man den mest genkendelige bjergtop i ikke bare amtet, men i hele North Carolina, Pilot Mountain. Selv om bjerget kun når 738 m.o.h., er det bemærkelsesværdigt, både op grund af de lave bjerge, der omgiver det, men også på grund af sin karakteristiske form. Pilot Mountain State Park er et populært udflugtsmål, og fra parkeringspladsen på nabobjerget Little Pinnacle, fører en kort sti til et udsigtspunkt, hvorfra man kan nyde Pilot Mountain (eller mere korrekt Big Pinnacle eftersom det er de to toppe tilsammen, der udgør Pilot Mountain), hvis man ikke har lyst til at gå turen rundt om bjerget. Går man turen omkring bjergtoppen, er der mulighed for bjergklatring undervejs, men det er ikke tilladt at klatre på selve toppen. Bjerget er oprindeligt navngivet af de sauraindianere, der levede i området, før europæerne kom til, og de kaldte bjerget 'Jomeokee', som kan oversættes til "Den Store Vejviser". Bjerget spiller en vigtig rolle i ungdomsromanen "Born to Soar" af Bill Barnes.

Mount Airy er den eneste "city" i amtet. Den går tilbage til 1750 hvor et dilligencestop blev etableret på stedet. Dette overnatningssted fik sit navn fra en plantage i nærheden; hvor plantagen havde sit navn fra, skal jeg ikke kunne sige, men der findes mange steder af samme navn i det østlige USA, og de er typisk knyttet til bygninger. Verdens største granitmine, et åbent brud, ligger tæt på Mount Airy, men der er ikke adgang for offentligheden, da minen fortsat er i drift. Et par historiske huse i Mount Airy er åbne for offentligheden, men bortset fra dem og en hyggelig hovedgade, er der ikke meget at se i byen. De 'originale' siamesiske tvillinger, Chang og Eng Bunker, boede i byen i en del år frem til deres død i 1874, og de er begravet på White Plains Baptist Cemetery nogle kilometer syd for byen. Jeg fortæller lidt mere om tvillingerne under Wilkes County. Countrysangerinden Donna Fargo, der havde et verdenshit i 1972 med "The Happiest Girl in the Whole USA" er født i Mount Airy.

Der sker heller ikke meget i andre byer i amtet, selv om Elkin (som delvis ligger i Wilkes County) fejrer en Græskarfestival på den fjerde lørdag i september. Til gengæld har amtet hele 68 unincorporated communities, herunder det tidligere amtssæde, Rockford. Hvis man kører gennem Rockford er den gamle landhandel, Rockford General Store, et besøg værd – ikke mindst hvis man er til gammeldags slik.

Der er en hel del overnatningsmuligheder langs I-77 i den vestlige del af amtet, og også omkring Mount Airy er der flere steder, hvor man kan slå sig ned. Prøv fx Rosa Lee Manor i Pilot Mountain (der er navnet på en by, såvel som på bjerget). Man kan spise i Dobson, men de fleste spisesteder finder man i og omkring Mount Airy. Jeg har med fornøjelse besøgt 13 Bones, som laver glimrende BBQ ribs, eller hvad med en 350 grams bøf? Jeg må dog indrømme, at jeg ikke selv har forsøgt mig med sidstnævnte.

Swain County

Hvis der er nogle amter, hvor der ikke sker så meget, og derfor ikke er så meget at fortælle om, er der også amter, hvor der er så meget mere at se. Der er også nogle par amter, hvor jeg har til-  bragt en del mere tid end i andre, og et af disse amter er Swain County, så derfor er dette kapitel da også relativt langt.

Amtet har navn efter David Swain, den 26. guvernør over North Carolina; den samme guvernør, som ikke ville benåde Frankie Silver, se side 145. Swain County dækker et område på 1.400 km², men har kun en befolkning på 14.000, hvilket giver en befolkningstæthed på 10 pr km². Amtet blev grundlagt i 1871, da dele af Jackson County og Macon County blev forenet for at skabe det nye amt. Amtssæde og største by er Bryson City med 1.400 indbyggere. Byen er en town, ikke en city trods navnet. Der er flere indbyggere i Cherokee omkring 19 km øst for Bryson City, men Cherokee med 2.100 indbyggere er hverken en by, en landsby eller et unincorporated community, men "kun" et census-designated place, selv om bebyggelsen faktisk er god til at "lade som om", den er en by.

Amtet har den største procentdel af oprindelige amerikanere i noget amt i WNC (og faktisk i hele North Carolina). Næsten 30 % af befolkningen har rødder i cherokeestammen, hvilket skyldes, at den største del af Quallaforvaltningsområdet (se side 46) ligger i dette amt. Forvaltningsområdet er hjemsted for Eastern Band of Cherokee Indians, og Qualla er et national beskyttet område. Det samme er tre andre områder i amtet; en del af Blue Ridge Parkway, som har sin sydlige afslutning lige uden for Cherokee, en del af Nantahala National Forest, og omkring halvdelen af Great Smoky Mountains National Park. Den anden halvdel af nationalparken ligger i Tennessee.

I hvad der nu er den østlige udkant af Bryson City, finder man, hvad der engang var cherokeestammens helligste by, som de selv betragtede som deres oprindelige hjemsted, Kituwa eller Keetohwah, som en af de føderalt anerkendte dele af stammen stadig er opkaldt efter, United Keetohwah Band of Cherokee Indians i Oklahoma. Alt, hvad der er tilbage i dag, er antydningen af en forhøjning i græsset, som er resterne af den høj, hvor stammens rådshytte engang stod. Hvis man alligevel vil se stedet, skal man tage US Route 19 mod øst Fra Bryson City i retning af Cherokee i omkring 4-5 km. Undervejs krydser man Tuckasegee River og man er fremme, når man kommer til en smal stribe græs, der fungerer som landingsbane for sportsfly. Landingsbanen ligger på højre hånd, og en Historical Marker fortæller om stedet. Hvis man kører ind her og krydser jernbanen, er der kun få meter at gå til højen, men husk at stammen fortsat betragter stedet som helligt.

I Bryson City ligger amtets gamle domhus, der i dag fungerer som Swain County Heritage Museum og turistinformationskontor. Det nye domhus ligger også i byen, men det er ikke specielt spændende. Ifølge de lokale har domhuset, altså det gamle, et klokketårn, der er særligt interessant, men jeg må indrømme, at jeg ikke synes at det adskiller sig meget fra det, man kan se på andre domhuse

i WNC – men nydeligt er det da. Er man til lystfiskeri, kan det måske være interessant at besøge Fly Fishing Museum of the Southern Appalachians, som ligger på hovedgaden.

Bryson City har en jernbanelinje, som i modsætning til alle andre jernbanelinjer i WNC medtager passagerer – om end kun på turistudflugter fra byen og tilbage igen. Et damplokomitiv fra 1942 (Engine 1702) trækker toget på nogle af udflugterne, men på de fleste trækkes toget af disellokomotiver. Der er to udflugter at vælge mellem; Nantahala Gorge turen, som går fra Bryson City til Nantahala Gorge og retur, en tur på ca. 4½ time med et stop på omkring en time ved Nantahala Outdoor Center på tilbageturen, og Tuckasegee River turen, som går fra Bryson City langs Tuckasegee River til Dillsboro, en tur på ca. 4 timer med 1½ times ophold i Dillsboro. På begge ture kan man vælge mellem forskellige "klasser", og billetprisen afhænger af, hvilken klasse, man vælger. På nogle klasser er forplejning inkluderet i prisen, mens det ikke er tilfældet for de billigste klasser. Selv foretrækker jeg den klasse, der kaldes Premium Open Air Gondola. Her sidder man sidelæns i kørselsretningen, og man har derfor direkte udsyn gennem vinduerne. Denne klasse har reserverede pladser, og man bytter plads på tilbageturen, så man kan nyde udsigten til begge sider af toget. Desuden medfølger en mulepose og et termokrus med gratis opfyldning af sodavand, kaffe og te på hele turen – og der er frokost inkluderet til alle over 21. Man skal være opmærksom på, at det koster en smule mere at blive trukket af damplokomotivet end af disellokomotiver. Efter en tur med toget har man gratis adgang til Smoky Mountain Train Museum, der blandt andet rummer et stort elektrisk tog.

Toget afgår fra den gamle station på Everett Street i Bryson City. Hvis man fortsætter nord på ad Everett Street i omkring 13-14 km (vejen skifter navn et par gange undervejs til henholdsvis Fontana Road og Lakeview Drive), kommer man til en lille parkeringsplads i skoven, hvor vejen er spærret af pullerter. Vejen er kendt som "The Road to Nowhere", da den altså ikke fører nogen steder hen. Fortsætter man til fods (eller til hest) forbi spærringen, kommer man til en tunnel, "The Tunnel To Nowhere". Man kan gå gennem tunnellen, men den er er ikke oplyst, så medbring en lommelygte. Når man kommer ud i den anden ende, ser man – ingenting – bortset fra træer og en smal sti. Denne sti kaldes Lakeshore Trail. Hvis man følger stien, som undervejs mødes med andre stier, ophører den simpelthen i skoven efter nogle kilometer. Historen om vej og tunnel kan læses flere steder på internettet, så den vil jeg ikke genfortælle her men jeg finder stedet interessant, og naturen er nydelig.

Cherokee, som på stammens sprog kaldes Elawodi (Den gule Bakke), er hovedbyen i Qualla Forvaltningsområdet, der som nævnt er hjemsted for of Eastern Band of Cherokee Indians (og jo, de kalder faktisk sig selv 'indianere', ikke 'oprindelige amerikanere', i hvert fald når det kommer til stammens navn på velkomstskilte og navnet på byens museum). I Cherokee er der masser at opleve, endda mere end i Bryson City, men man skal være villig til at dele oplevelserne med andre, da man typisk kun vil være én ud af mange hundrede turister i byen. Og Cherokee er på mange måder en turistfælde med diverse turistorienterede aktiviteter så som guldvask, souvenirbutikker og andre ting, der også kunne findes i en dansk forlystelsespark. Hovedattraktionen for mange besøgende er den med stor margen grimmeste bygning i byen. En massiv blok af beton, der går under navnet Harrah's Cherokee Casino, men kasinoet genererer en stor del af stammens indkomster; faktisk så stor så hvert stammemedlem får en andel af det årlige udbytte, når der først er afsat bevillinger til udvikling, uddannelse, kultur og andre fælles formål.

Men der er heldigvis masser af andre ting, man kan se og foretage sig i byen. I gaderne vil man af og til møde folk i mere eller mindre realistiske traditionelle påklædninger – af og til med store fjerprydelser, som man kender fra western film eller sin barndoms legetøjsindianere. Disse hovedprydelser hører godt nok til hos prærieindianerne, men efter at have set for mange westernfilm, er nogle turister kommet til at tro, at sådan skal "en rigtig indianer" se ud. Heldigvis har jeg kunnet konstatere ved mine seneste besøg, at der bliver længere og længere mellem disse "høvdinge" og flere og flere af de, der lader sig fotografere med turister mod et passende vederlag, er nu iført mere tradtionel cherokeepåklædning. Men hvis man vil have en mere realistisk oplevelse, vil jeg opfordre til et besøg i Oconaluftee Indian Village i udkanten af byen. I dette levende museum viser medlemmer af stammen, hvordan de levede omkring 1750. Her kan man se, hvordan man lavede tøj, kanoer, våben og man kan se demonstrationer af traditionelle danse, høre foredrag om stammens "matrilineære"[15] opbygning, se brugen af pusterør til jagt og meget andet. Lige ved siden af "landsbyen" kan man gå en tur på Cherokee Botanical Garden and Nature Trail. Her kan man se over 150 forskellige planter, der vokser i Appalacherne, og de fleste groede vildt i området før stien blev anlagt, mens nogle få er "indført". Overfor Oconaluftee Indian Village ligger Mountainside Amphitheater, hvor medlemmer af stammen, om sommeren når vejret tillader det, opfører forestillingen "Unto These Hills", der fortæller stammens historie fra det første møde med Hernando de Sotos ekspedition i 1540 (side 4) til Trail of Tears (side 47). Denne forestilling har været opført hver sommer siden 1950, og det gør det til den længst kørende forestilling af denne art i USA.

I byen kan man besøge Museum of the Cherokee Indian, som også fortæller om stammens liv og historie, og hvis man er til orginalt kunsthåndværk, bør man besøge Qualla Arts and Crafts over for museet. Her kan man købe kunsthåndværk og kunst lavet af lokale kunstnere, men man bør havde den store pung med, da tingene ikke just er billige.

Cherokee får primært sine indtægter fra turister; de, der kommer for at spille i kasinoet, de, der kommer for at lære om stammen og dens kultur, og ikke mindst fra de, der kommer for at besøge Great Smoky Mountains National Park. Nationalparken ligger på grænsen mellem North Carolina og Tennessee, med ca. halvdelen af parken i hver stat. Parken omfatter et areal på 2.140 km^2, og den blev åbnet i 1934. US Route 441 går gennem parken fra Cherokee til Gatlinburg i Tennessee, og den benyttes ud over af turister, også dagligt af mange, der bor i den ene stat og arbejder i den anden. Når det offcielle antal gæster i parken opgøres til ca. 11 millioner om året, er disse pendlere ikke medregnet, og alligevel har parken næsten dobbelt så mange besøgende som den nationalpark med næstflest, Grand Canyon National Park i Arizona, så man er sjældent alene i parken. I øvrigt er adgang til denne nationalpark gratis i modsætning til de

---

[15] At stammen var matrilineær betød at slægtslinjen blev ført gennem moderen, og en mand blev faktisk ikke betragtet som værende i familie med sine egne børn. Et barns nærmeste mandlige slægtning var moderens bror. Det var også kvinderne der ejede huse og jord, og ville en kvinde skilles, satte hun bare mandens ejendele uden for døren.

fleste andre nationalparker i USA. Jeg vil ikke gennemgå alle parkens attraktioner, men vil dog nævne Clingmans Dome, det højeste bjerg i Great Smoky Mountains (2.025 m.o.h.) med et udsigtstårn på toppen. Fra parkeringspladsen går en 800 m lang asfalteret sti op til toppen. Selv om stien er asfalteret kan den dog være ret antrengende og skilte ved parkeringspladsen advarer om, at man skal regne med mindst 30 minutter, måske mere til at gå de 800 meter, afhængig af den fysiske form, man er i.

Nær parkens besøgscenter i North Carolina (der findes et tilsvarende besøgscenter nær Gatlinburg på Tennessee-siden), kan man ofte se wapitihjorte, der græsser i vejkanten, især tidligt om morgenen og sen eftermiddag eller tidlig aften. Mingus Mill og Mountain Farm Museum lige uden for Cherokee er også interessante at besøge, og hvis man kører ind i Tennessee, bør man besøge Cades Cove med mange gamle bygninger, som efter min mening er den mest interessante attraktion her. Fra besøgscenteret ved US Route 441 i Tennessee, er der ca. 45 km til Cade's Cove, eller rettere til en parkeringsplads. Herfra fører et ca. 18 km langt, ensrettet loop forbi selve Cades Cove og tilbage til parkeringspladsen. Vejen ud til parkeringspladsen er meget naturskøn og går på en længere strækning langs med Little River, med mange muligheder for at stoppe, selvom vejen er ret smal og snoet. Om sommeren er der mange børn, der bruger floden til at bade i og til sejlads i baderinge. Beregn god tid til et besøg i nationalparken, gerne flere dage, hvis man vil besøge flere attraktioner eller tage vandreture på nogle af de mange vandrestier i parken. Et besøg om efteråret, når løvfaldsfarverne kommer frem, er meget imponerende, men desværre tiltrækker dette endnu flere mennesker end sommerens grønne farver.[16]

Fra Cherokee fører en sti til Mount Guyot, den næsthøjeste bjergtop i Great Smoky Mountains og det fjerdehøjeste bjerg i det østlige USA. Det 2.008 m høje bjerg ligger i Haywood County og turen er ca 21 km hver vej, så man skal nok afsætte et par dage til turen (med overnatning i det fri undervejs). Tæt bevoksning på bjerget gør turen til toppen til noget af en udfordring, og selv stien er overgroet mange steder.

---

[16] Vil man virkelig være "turistet", kan man, hvis man alligevel er kørt ind i Tennessee, aflægge et besøg i byerne Gatlinburg og Pigeons Forge, hvor forlystelsesparker, svævebaner og andre turistrelaterede ting, forekommer i stort tal. I Pigeons Forge kan man blandet andet besøge Dolly Partons forlystelsespark, Dollywood.

Cherokee er fyldt med souvenirbutikker, men vær opmærksom. Mange af souvenirs, der sælges er "Made in Japan", "Made in China" eller "Made in Korea". Meget af det, der kan købes , er i virkeligheden heller ikke cherokesisk, men er kopier af ting, fra stammer i det sydvestlige USA, som fx Navjao og Hopi. Hvis man ikke vil købe souvenirs, kan man besøge Oconaluftee Island Park, som strækker sig langs floden, og hvor der om sommeren er mange mennesker der hygger sig, bader i floden og holder picnic.

Hvis man er til udendørs aktiviteter, som fx vandreture og ikke mindst aktiviteter på vandet, som wildwater rafting, kajak- og kanosejlads med mere, bør man besøge Nantahala Outdoor Center omkring 22 km sydvest for Bryson City. Her er der mange af den type aktiviteter at vælge mellem; man kan bo her, og det er muligt at blive undervist fx i padling, vildmarksmedicin, førstehjælp og meget andet – mod betaling naturligvis.

Da amtet får en stor del af sine indtægter fra turister, er indkvarteringsmulighederne rigelige både i Bryson City, Cherokee og også uden for disse byer, og man kan også bo på Harrah's Cherokee Casino. Men hvis man ikke ønsker at spille, er der altså mange andre muligheder. Kædehoteller og –moteller findes i stort antal, ikke mindst i Cherokee, men der er også mere lokale muligheder. Newfound Lodge og Pink Motel i Cherokee er et par af disse, men også Chestnut Lodge on Deep Creek i Bryson City, hvor man også kan bo på Everett Hotel fra 1908. Sidstnævnte tilbyder kun suiter, ni af slagsen, men det er ikke specielt dyrt sammenlignet med andre tilsvarende steder i North Carolina eller USA i det hele taget. I modsætning til nogle af de vestlige nationalparker, er der ingen logimuligheder inde i parken, men som nævnt kan man også bo ved Nantahala Outdoor Center, enten i hytter, på motel eller på sovesal.

Når det kommer til mad, er det endnu engang Bryson City og Cherokee, der må stå for skud, selv om man selvfølgelig også kan spise ved outdoor centret. I Bryson City kan jeg anbefale The Warehouse at Nantahala Brewery og ligeledes Cork and Bean Bistro at the Everett Hotel, men der er flere andre muligheder. I Cherokee er Pauls Family Restaurant (Indian Owned, som der står på skiltet uden for) interessant, og her kan man nyde specialiteter som bison ribeye, fasanbryst, kanin, wapitiburger og andre lokale delikatesser. Der er naturligvis også nogle fastfood restauranter, og så kan man prøve Granny's Kitchen tæt på kasinoet. Dette er en buffetrestaurant, og indholdet af buffeten skifter dagligt.

Transylvania County

Som det fremgår af kortet ligger Transylvania County i den sydlige del af WNC og grænser op til tre amter i South Carolina. Det samlede areal er 987 km², og befolkningstallet er om-
kring 33.000. Amtssædet er Brevard, som også er den største by med 7.600 indbyggere. Amtet blev oprettet i 1861 og er opkaldt efter The Transylvania Land Company, som var et firma, der blev mest kendt for sit ulovlige opkøb af cherokeeland i 1775, også omtalt i Historiekapitlet på side 7. Navnet kommer fra latin "trans" – "på den anden side" og "silva" "træ eller "skov", altså "landet på den anden side af skoven". Amtssædet Brevard voksede op omkring Brevard College. Dette universitet blev oprettet i 1853 som et humanistisk universitet, tilknyttet Metodistkirken. Universitetet har i dag 700 studerende.

Området omkring Brevard er kendt for de hvide egern som lever her. Der er ikke tale om albinoer, men om egentlige hvide egern, og ingen ved, hvordan de er kommet til egnen, og hvorfor de stadig er der – uden at sprede sig uden for området. Ikke langt fra byen kan man besøge Dupont State Park, som er bedst kendt for sine maleriske vandfald. Mere end 500.000 gæster besøger parken hvert år, og scener fra Den sidste Mohikaner (se også Rutherford County) og Hunger Games er optaget i parken. Brevard er den eneste "city" i amtet, som også kun har en enkelt "town", Rosman, med lidt under 600 indbyggere. Blue Ridge Parkway går gennem amtet, som også omfatter mindre dele af såvel Pisgah National Forest som Nantahala National Forest.

Knap 10 km nordvest for Brevard ved US Route 276, kan man besøge Looking Glass Rock, en enkeltstående granitklippe, der rejser sig stejlt fra bunden af en dal til en højde af 1.210 m.o.h. En sti fører fra dalen op til toppen af klippen, men den er temmelig anstrengende, da den stiger 518 meter på knap 5 km. Klippen er et populært sted for bjergklatrere og adskillige klatreruter fører til toppen. Lige før man kommer til klippen (på US 276) passerer man Looking Glass Falls, et nydeligt vandfald, hvor der om sommeren kan bades i dammen under vandfaldet. Om vinteren kan vandfaldet fryse helt til, og så bruges det til isklatring. Ca. 1½ km længere mod nord kommer man til endnu et vandfald, kendt som Sliding Rock, fordi det er muligt at glide ned ad vandfaldet. Man rutsjer ned ad et fald på omkring 20 meter og ender i en to meter dyb dam neden for vandfaldet. Ved dette vandfald er det etableret parkeringplads, såvel som to udsigtsplatforme, toiletter og omklædningsrum. Der er også etableret en trappe ned til dammen. Og gelændere gør det nemmere at klatre op til toppen af vandfaldet, før man rutsjer ned. National Park Service, der vedligeholder området, opkræver en mindre entre, men kun om sommeren. Man skal være opmærksom på, at selv om sommeren er vandet forholdsvis koldt. Et stykke forbi Sliding Rock på US 276 kan man besøge Craddle of Forestry in America, et kulturarvsmuseum, der fortæller om skovbruget i USA. Stedet er kun åbent mellem april og oktober. Hvis man vil besøge/bestige Looking Glass Rock, skal man forlade hovedvejen kort før Sliding Rock, og så køre ad National Forest Road 475 ca. 7 km til en parkeringsplads.

Der er enkelte indkvarteringsmuligheder i og omkring Brevard; ikke mange kædemoteller, men nogle kroer og B&B's. Blandt sidstnævnte er Bed and Breakfast on Tiffany Hill og Pines County Inn glimrende. Man kan finde en del spisesteder langs med US Route 64, der går gennem amtet, men da jeg ikke har prøvet nogen af dem, vil jeg ikke komme med anbefalinger her. Man kan finde såvel kæderestauranter som mere lokale steder.

Watauga County

Watauga County ligger i den nordvestlige del af WNC, i "high country" og amtet grænser op til Tennessee mod vest. Amtet blev grundlagt i 1849 og dækker et areal på 810 km². Befolkningstallet er 51.000 og amtet er opkaldt efter Watauga River, men ingen ved i dag, hvad "Watauga" betyder, for selv om de fleste eksperter er enige om, at navnet stammer fra et af de sprog, som taltes af oprindelige amerikanere, der boede i området, er eksperterne ikke enige om, hvilket sprog, der er tale om. Et forslag er, at ordet betyder "landet på den anden side", mens et andet forslag går ud på, at det skulle betyde "floden med mange aborrer". De lokale "oversætter" det dog helt uvidenskabeligt til "Den smukke Flod". Amtssæde og største by er Boone, som med 17.000 indbyggere er den eneste by ("town") øst for Mississippi med mere end 10,000 indbyggere, der ligger mere end 1.000 m.o.h (faktisk 1.015 m).

Ud over Boone er der tre andre "towns i amtet. Én er Blowing Rock på grænsen til Caldwell County. Jeg har fortalt om Blowing Rock i kapitlet om netop dette amt på side 95, og skal ikke gentage det her. De to øvrige er Beech Mountain og Seven Devils, der begge ligger på grænsen til Avery County. De to sidst-nævnte byer har begge ca. 600 indbyggere mod Blowing Rocks 1.200. Alle disse byer, også Boone, foruden flere mindre bebyggelser, fungerer som ski-sportssteder om vinteren.

Boone, opkaldt efter pioneren Daniel Boone, har nogle interessante attraktio-ner. Blandt disse er Daniel Boone Native Gardens, en botanisk have med plan-ter fra North Carolina. På Daniel Boone Amphitheater opføres om sommeren en udendørsforestilling, "Horn in the West". Denne forestilling, som har været opført hvert år siden 1952, fortæller historien om, hvordan de første nybyggere, slog sig ned i bjergene; mere specifikt handler den om enkelt families liv mel-lem 1771 og 1780, og én af hovedpersonerne er – selvfølgelig – Daniel Boone. Inden for Boones bygrænse finder man Howard's Knob, en 1.330 m høj bjerg-top. Boone er også hjemsted for Appalachian State University, WNCs største universitet med omkring 19.000 studerende. Byens hovedgade er hyggelig; blandt andet er et besøg i Mast General Store interessant, hvis man kan lide butikker med lidt af hvert fra slik, over tøj og hatte til knive og meget andet. Hvis man er til øl, er Appalachian Mountain Brewery et besøg værd. Kano- og kajaksejlads er populært tidsfordriv omkring byen, og er man interesseret i fri-landsmuseer, kan man besøge Hickory Ridge Living History Museum. Attrak-tionerne i og omkring Blowing Rock er omtalt i kapitlet om Caldwell County.

De fleste indkvarteringsmuligheder findes i og omkring Boone og skisportsste-derne. Her finder man såvel kædemoteller i stort tal, som et godt udvalg af kroer, B&B og udlejningshytter. Prøv fx Lovill House Inn i den nordlige del af Boone. Spisestederne er koncentreret de samme steder som indkvarteringsste-derne. Daniel Boone Inn, Coyote Kitchen og Wild Craft Eatery er alle gode, men der er mange andre.

Wilkes County

Af alle de 32 amter, der er beskrevet i denne guide, er det Wilkes jeg har besøgt oftest, og hvor jeg har tilbragt længst tid sammenlagt, endda mere end i Swain County. Derfor er også  dette kapitel forholdsvis langt, for der er temmelig mange historier at fortælle, og meget at se og opleve i dette amt.

Wilkes County, populært kendt som "Land of Wilkes", dækker et areal på 1.960 km², og det gør det til det største amt i WNC. Befolkningstallet var 69.000 (for en gangs skyld ikke tal fra 2010, men fra en lokal folketælling i 2016). Amtet blev grundlagt helt tilbage i 1777 af dele af Surry County og dele af det, der dengang hed Washington District, som ikke var et amt, men et territorium, der blev kontrolleret af North Carolina. I dag ligger størstedelen af det tidligere Washington District i Tennessee. Amtet ligger i mountainregionen med den vestligste del i high county, mens hovedparten ligger i foothillsområdet. Wilkes County har navn efter John Wilkes, en engelsk politiker, som talte koloniernes sag i Det Britiske Parlament, og blev fængslet for det. Amtssædet er Wilkesboro med 3.400 indbyggere og største by er North Wilkesboro med 4.300. De to byer ligger på hver sin bred af Yadkin River, og er stort set vokset sammen, men har hver sit bystyre.

Ud over disse to byer, der er klassificeret som "towns", er der yderligere to "towns" i amtet; dels Elkin, som delvis ligger i Surry County, og så Ronda, med knap 420 indbyggere. Amtet har ingen "cities", men har ud over de fire byer også ni unincorporated communities og syv censusdesignated places.

De oprindelige siamesiske tvillinger, Chang og Eng Bunker boede i amtet i nogle år inden de flyttede til Surry County i 1845. I begyndelsen boede de i Wilkesboro, hvor de drev en købmandsforretning, men da den gik de fallit i 1839, flyttede de længere nordøst på i amtet, til bebyggelsen Traphill, hvor de havde deres hjem, mens de igen tog på turneer for at tjene penge, og da de flyttede til Mount Airy, var de særdeles velhavende. Det var mens de boede i Traphill, at de mødte og giftede sig med to søstre, som de fik henholdsvis 10 og 11 børn med. Efter at de var flyttet til Mount Airy byggede de to huse, og

163

"installerede" en kone i hvert hus, og så skiftede tvillingerne mellem at bo hos dem en måned ad gangen, og dem tvilling, der "var hjemme", bestemte, hvad der skulle ske. De døde inden for 30 minutter af hinanden i 1874, og er som nævnt på side 153, begravet på en kirkegård syd for Mount Airy i Surry County.

En anden kendt skikkelse fra Wilkes County er folk- og bluegrassmusikeren Arthel "Doc" Watson (1923 – 2012). Watson modtog i sin karriere otte Grammy Awards og han grundlagde MerleFest Music Festival, der har været afholdt i Wilkesboro hvert år siden 1988. Det er den største festival for folk- og bluegrassmusik i USA, og den tiltrækker over 75.000 gæster hvert år. Også andre "berømtheder" har tilknytning til amtet. Jeg vil se lidt mere på nogle af dem nedenfor, men her vil jeg kort nævne nogle af de, jeg ikke kommer nærmere ind på. Jægeren og pioneren Daniel Boone (1734 – 1820), Borgerkrigsgeneralen James B. Gordon (1822 – 1864) og Robert Byrd (1917 – 2010), den længst siddende senator i USA's historie og President pro Tempore for Senatet, og dermed den tredje i "rangfølgen" til at overtage præsidentposten efter vicepræsidenten og formanden for Repræsentanternes Hus. Endelig må jeg ikke glemme Otto Wood (1894 – 1930). Wood var kriminel og havde været det, siden han som 13-årig stjal en cykel. Han blev dog hurtigt fanget ved den lejlighed, da han ikke kunne cykle på den, og måtte trække den fra "gerningsstedet". Men ud over sin kriminelle løbebane er Woods mest kendt som flugtkonge. Hele 10 gange lykkedes det for ham at undslippe fra fængsler; dog ikke det lille, solide murstensfængsel, i Wilkesboro, men her sad han også kun to gange, hvoraf den ene var efter cykeltyveriet, og den anden mens han ventede på at blive returneret til et fængsel i West Virginia, som han var stukket af fra.

Wilkes County var tidligere kendt som centrum for den illegale fremstilling af alkohol,"moonshine", ikke kun under forbudstiden, men også i mange år efter. Og det siges, at der stadig findes destillationsapparater gemt rundt om i bjergene, selv om jeg aldrig hart mødt nogen, der ville indrømme det. Nogen skulle levere denne moonshine til kunderne, og de fleste af disse smuglere var unge mænd og drenge, som var gode til at køre bil i høj fart, når de skulle undslippe myndighederne. I 1948 etablerede racerkøreren og forretningsmanden Bill France Sr. organisationen National Association for Stock Car Auto Racing, bedre kendt som NASCAR. En del tidligere, og formodentlig også nogle på det tidspunkt stadig aktive spiritussmuglere, begyndte at køre væddeløb, og blandt disse var Robert Glenn Johnson, i dag bedre kendt som Junior Johnson, som døde i 2019, 88 år gammel. Hans far fremstillede moonshine og Junior hjalp med distributionen. Faderen tilbragte mere end 20 år i fængsel, men Junior selv sad kun i fængsel i et enkelt år, da han blev anholdt i Ohio for at være i besiddelse at et destillationsapparat. Det lykkedes derimod aldrig for myndighederne tage ham, når han transporterede spiritus for "familiefirmaet". Junior Johnson skulle blive en af de mest succesfulde NASCAR kørere. Han deltog i 313 løb, hvoraf han vandt 50 og kom i Top Ti 148 gange, og 46 gange startede han forrest. Blandt hans sejre var Daytona 500 i 1960. Da han trak sig tilbage som aktiv kører, blev han holdejer, og som sådan vandt han mesterskabet seks gange med to forskellige kørere. Én af Johnsons biler er udstillet på Wilkes Heritage Museum i Wilkesboro, og der er skrevet et skuespil om hans bedrifter, "Moonshine and Thunder" (hvor han selv var aktiv i tilblivelsen af skuespillet). I øvrigt er der i dag to legale moonshine destillerier i amtet, Call Family Distillers i Wilkesboro og Copper Barrel Distillery i North Wilkesboro. Jeg kan anbefale sidstnævntes "Blueberry Shine" ☺, hvis man ellers drikker spiritus. Begge destillerier kan besøges på guidede ture (Call Family Distillers dog kun efter aftale), og man skal være fyldt 21 for at kunne deltage i smagninger.

Benjamin Cleveland, omtalt under Cleveland County (side 103), var oberst i North Carolinas milits under Uafhængighedskrigen, og spillede en vigtig rolle i kolonisternes sejr i Slaget ved King Mountain. Bag det gamle domhus, nu museum, vokser et forholdsvis ungt egetræ, som har erstattet et meget ældre, der faldt i en storm for nogle år siden. Under Uafhængigskrigen havde nogle loyalister, også kendt som "tories", angrebet en gård, og ved hjælp at et stykke tøjsnor, stjålet fra farmeren, drevet hans heste bort. Oberst Cleveland og hans mænd fangede loyalisterne og hængte dem med den samme tøjsnor, som de havde stjålet. Som hævn for dette kidnappede tre andre loyalister obersten, men hans mænd befriede ham og tog loyalisterne til fange. De bragte de tre mænd til Wilkesboro, hvor lederen, William Riddle, og hans to mænd, blev hængt fra det gamle egetræ, som derefter blev kendt som "The Tory Oak".

Cleveland ejede en plantage omkring 30 km øst for Wilkesboro, og her byggede han et hus på toppen af en rund bakke. Han kaldte huset "Roundabout" på grund af bakkens facon, og efterhånden voksede en by op i nærheden af plantagen, og denne fik en forkortet udgave af plantagens navn og blev til Ronda. Ronda har et noget specielt udseende rådhus, der ikke ligner andre rådhuse i området. Faktisk ligner det mest af alt en lagerbygning, men oprindeligt blev bygningen brugt som skole. Lige uden for Ronda finder man et af amtets bedste vinerier, Raffaldini Vineyards and Winery. Raffaldini har hjemme i en italiensk inspireret villa, og man fremstiller da også vine af især italienske druesorter, og det er glimrende vine.

Nogle legender vil vide, at også Tom Dooley, kendt fra Kingstontrioens sang fra 1958, blev hængt fra The Tory Oak, men det er ikke korrekt. Som jeg nævnte i kapitlet om Iredell County, blev han hængt i Statesville i dette amt. Tom Dooley sad dog fængslet i Wilkes County Jail (i dag "Old Wilkes Jail") fra juli til oktober 1866 inden han blev overført til Statesville. Mordet, som han var anklaget og blev dømt for at have begået, blev faktisk begået i Wilkes County, i Elkville, en lille bebyggelse godt 20 km vest for Wilkesboro. Mange lokale (og flere andre, inklusive jeg selv), mener imidlertid ikke, at han var skyldig og selv i dag, mere end 150 år efter mordet, er der mennesker, der arbejder for at få Tom Dooley benådet posthumt.

Uden for Old Wilkes Jail står en statue af Oberst Benjamin Cleveland, og ved siden af fængslet finder man Robert Cleveland House. Robert Cleveland var bror til Benjamin Cleveland, og var selv kaptajn i militsen. På et givent tidspunkt boede der 29 mennesker i dette ret lille hus. To voksne, 15 børn og 12 slaver; sidstnævnte sov ifølge historien i et rum under stuegulvet. Såvel Cleveland House som Old Wilkes Jail indgår nu i Wilkes Heritage Museum, og kan besøges på guidede ture. Disse afgår fra museet, som ligger på byens centrale plads i amtets gamle domhus fra 1902. Alle tre bygninger er et besøg værd. Jeg har før omtalt spøgelser og hjemsøgelser, og vender tilbage til dem i næste kapitel også, men selvfølgelig er der også spøgelser i Wilkes County, og i Wilkesboro kan man komme på guidede spøgelsesture. Disse arrangereres af netop Wilkes Heritage Museum og indtægterne er med til at finansiere museets drift.

Nogle få kilometer syd for Wilksboro, ligger landsbyen Moravian Falls, hvor det mest interessante er vandfaldet af samme navn. Ellers er der ikke meget at se, men navnet er en erindring om de hernnhuter, der udforskede det vestlige North Carolina omkring 1750, se også side 5. Omkring 30 km nord for North

Wilkesboro ligger Stone Mountain State Park, som domineres af Stone Mountain, en granitklippe der rejser sig 183 meter over det omgivende terræn. Både lokale og turister besøger parken, som er erklæret et National Natural Landmark. Omkring 8 km vest for Wilkesboro ligger W. Kerr Scott Reservoir, en opdæmmet sø, der blev anlagt for at sikre området mod de oversvømmelser, som Yadkin River jævnligt forårsagede i Wilkesboro og North Wilkesboro. I dag bruges søen mest til rekreative formål så som badning, sejlads, vandskiløb og andre fritidsaktiviteter.

Videre vest på ad NC Route 268, omkring 20 km fra Wilkesboro ligger et unincorporated community ved navn Ferguson. Her kan man besøge det lille, men meget interessante og meget gæstfri frilandsmuseum, Whippoorwill Academy and Village, nok mit favoritsted i hele amtet. Desværre holder museet kun åbent mellem kl. 13 og 17 den tredje lørdag i hver måned fra april til oktober, men er man i området på en åbningsdag, bør man aflægge et besøg. Museet har navn efter Whippoorville Academy, en gammel et-rums skolebygning, men de elever, som gik her og bestod eksamen, var faktisk kvalificeret til at komme direkte på universitetet (derfor betegnelsen Academy og ikke School). Stedet er også vært for forskellige kulturelle arrangementer, hvor det naturligvis også har åbent, fx Daniel Boone Days, Tom Dooley Day, Edith's Barn Music Festival samt James Larkin Poetry Competition for lokale skolebørn i både Wilkes og Caldwell counties mm. På museet, er der en udstilling om netop Tom Dooley, og man kan også besøge en kopi af Daniel Boones hytte, som han og hans familie boede i, da de boede i området før 1770. Museet har også en lille kirke, Chapel of Peace, som er et populært sted at blive gift. Der er gratis adgang, men en mindre donation (ca $10 per person) forventes, da museet drives af frivillige uden offentlige bevillinger. Allerede i kapitlet om Caldwell County omtalte jeg NC Route 268, men fokuserede på det, der var interessant i dette amt. Bortset fra frilandsmuseet er der knap så meget at se på den del af vejen, der ligger i Wilkes County, men de tre personer, der var hovedpersonerne i Tom Dooley historien, er alle begravet inden for få kilometer fra denne vej, og Laura Fosters grav er, som nævnt på side 97, synlig fra vejen. Både i Wilkes County og andre amter i området ser man ofte et eller to æsler gå på en mark sammen med køer eller får, og det kan opleves flere steder langs NC 268. Disse æsler bruges som "vagthunde" i tilfælde af angreb af prærieulve, som gerne angriber kalve og lam; mere på side 26.

På den nordlige bred af W. Kerr Scott Reservoir, omkring 12 – 13 km vest for Wilkesboro ad US Route 421 ligger Fort Hamby Park, et område der bruges til rekreative formål. I parken finder man Forest Edge Amphitheater, et friluftsteater. Hver sommer siden 2001, har man her opført skuespillet *"Tom Dooley – A Wilkes County Legend"* af forfatter og skuespiller Karen Reynolds, der ofte også selv medvirker i og/eller instruerer stykket, som ellers opføres af lokale amatører. Også skuespillet *"Moonshine and Thunder"*, omtalt ovenfor, har været opført her. Endnu længere mod vest ved den vestlige ende af reservoiret kunne man tidligere finde Hillside Horror, et spøgelseshus eller noget i den stil. I dag er "uhyggehuset" flyttet til Roaring River nord for Ronda. Mod betaling kan man overvære natlige rædsler, og hvis man betaler lidt ekstra, kan man få endnu mere uhyggelige rædsler at se.

Øst for Wilkesboro ligger Ronda og andre små bebyggelser, men ikke nogen særlige attraktioner. Nær bebyggelsen Call, der også er et unincorporated community, finder man resterne af North Wilkesboro Speedway, en væddeløbsbane, der tidligere blev brugt til NASCAR løb, men banen blev lukket i 1996. Den åbnede igen i 2010, men lukkede hurtigt efter, og selv om der jævnligt i området tales om at genåbne den, er anlægget blevet ret forfaldent på de 10 år der er gået, så det er tvivlsomt, om den åbner igen. Længere mod øst, på grænsen til Surrry County, ligger Elkin. Jeg har allerede omtalt byens græskarfestival under Surry County, og bortset fra denne, en række andre festivaller, og en hyggelig hovedgade, er der ikke meget at opleve i Elkin. Blandt festivallerne kan Yadkin Valley Wine Festival i maj og Reevestock Music Fest i august være interessante.

De få muligheder for at bo i amtet er koncentreret omkring Wilkesboro og North Wilkesboro især i form af kædehoteller og -moteller. Der er også nogle steder øst for Elkin, men så er man faktiske ude af amtet og i Surry County. I Ferguson kan man bo på et lille, men hyggeligt B&B, Stoney Fork Bed and Breakfast, hvor der også er mulighed for at slå sig med med en autocamper, men der er kun tre værelser i dette B&B, og det ligger noget afsides fra det meste. Ikke langt derfra, i Darby, kan man leje hytter ved Leatherwood Mountain Resort, og der findes også en campingplads specielt for motorcyklister tæt på US 268. Jeg omtaler ellers ikke mulighederne for at indkvartere sig via Air-bnb i denne guide, da der simpelthen er for mange muligheder, og jeg kender ikke kvaliteten af disse. Jeg vil dog gøre en undtagelse her, og nævne et Airbnb i Ferguson. Dette sted er kendt som The Old Ferguson Home efter den familie, der oprindeligt byggede det (og som også har givet navn til bebyggelsen). Hu-set, der ligger lige bag Whippoorwill Academy and Village, er stadig i samme families besiddelse, men ingen fra familien bor der i dag. Hvis man vælger at slå sig ned her, er man virkelig "kommet på landet". På en sommeraften kan man sidde uden for og ikke høre andre lyde end cikadernes sang og brølen fra en ko eller to, mens man betragter glimtene fra ildfluerne i græsset. Fra huset er der 200 m til NC 268, hvor der kun kører meget få biler om aftenen.

De fleste spisemuligheder i form af kæderestauranter findes langs US Route 421 vest for Wilkesboro, hvor man også finder den udmærkede Tipton's Bar-B-Que (som har været lukket pga ombygning, og som muligvis er lukket per-manent siden mit seneste besøg i 2019), men der er mange gode spisesteder i såvel Wilkesboro som North Wilkesboro også. På den centrale plads i Wilkes-boro, lige ved Wilkes Heritage Museum, finder man Dooley's Tavern and Grill, hvor man får god mad (pub food), godt øl, og hvor der ofte er live musik. Blandt stederne i North Wilkesboro vil jeg anbefale Brushy Mountain Smokehouse and Grill. Der er nogle få restauranter i Elkin, men da jeg aldrig har prøvet nogen af disse, er man på egen hånd, hvis man vil forsøge sig.

I Ferguson kan man få noget at spise på Grocery Basket and Grill, men man skal besøge stedet til morgenmad eller frokost, da der kun er åbent til kl. 14. Stedet er kendt for at servere de bedste burgere i hele amtet, hvilket jeg des-værre ikke kan bekræfte, da jeg ikke har prøvesmagt alle steder, der serverer burgere, men gode er de. Stedet er også berømt for sin "livermush" (ejeren er kendt som "The Queen of Livermush Monday"). Livermush er en specialitet fra det vestlige North Carolina, som laves af svinelever, og –hoved, majsmel og krydderier, ikke mindst peber og salvie. Det ligner en mellemting mellem sylte og paté, og når retten serveres, skæres mushen i skiver, som steges på en pande. Livermush spises især til morgenmad og frokost, og det er så "national" en spise i North Carolina, at der er lavet statslig lovgivning om den, som blandt andet foreskriver, at mindst 30 % af "mushen" skal være svinelever. Livermush Monday er mandagen efter Labor Day weekenden, altså den første mandag i september.

Yadkin County

Yadkin County er det fjerde og sidste af de amter, jeg har tilføjet for egen regning. Amtet dækker et areal på 875 km² og har 38.000 indbyggere. Yadkin County blev grundlagt i 1850, da  Surry County blev delt op i en nordlig og en sydlig del. Den del af Surry County, der lå syd for Yadkin River blev til Yadkin County, mens resten forblev Surry. Amtssæde og største by er er Yadkinville med 3.000 indbyggere, som på det tidspunkt, hvor amtet blev oprettet, var kendt som Wilson, og bestod af et enkelt hus. I 1852 var flere huse kommet til, og man opdagede, at der allerede var en anden by i North Carolina, der hed Wilson, og så kunne man ikke få et postkontor. Man ændrede derfor navnet til Yadkinville. I dag bor der omkring 3.000 mennesker i byen. US Route 421 passerer lige syd for byen, og Old Highway 421 er byens hovedgade. Som det er tilfældet med flere andre østlige amter i WNC, ligger hele Yadkin County inden for piedmont-regionen. Dette betyder at landskabet mest består af lave bakker og dale. I den vestligste del af amtet strækker en udløber af Brushy Mountains sig lige inden for amtsgrænsen, men uden høje bjerge. Amtets højeste punkt er Star Peak nær Jonesville, som når en højde af 485 m.o.h. Der er ingen "cities", men fire "towns" i amtet. Foruden Yadkinville er det Jonesville (2.300 indb.), Booneville (1.200 indb.) og East Bend (600 indb.). Amtet omfatter også 20 unincorporated communities af hvilke to tidligere var klassificerede som towns, nemlig Huntsville (der er den ældste bebyggelse i Yadkin County) og Hamptonville.

Yadkin County og Yadkinville har navn efter Yadkin River, der med 314 km er en af de længste floder i North Carolina. Af og til kan man læse at floden er 700 km lang, og det skyldes at disse kilder medregner den del af floden, som ligger efter sammenløbet med Uwarrie River, men denne del af floden kaldes officielt Pee Dee River, ikke Yadkin. Som det var tilfældet med Watauga River (se side 161), er der ingen, som med sikkerhed ved, hvad ordet Yadkin betyder, og historikere og lingvister er end ikke enige om, hvilket sprog, det kommer fra. Nogle sprogforskere har foreslået, at det er en forvrængning af ordet "yatt-ken", som formodes at skulle stamme fra et nu ikke længere eksisterede medlem af den siouanske sprogfamilie, som blev talt af et antal stammer i det østlige North Carolina. Ordet kan betyde "Stedet med de høje træer", men langt fra alle forskere er enige i dette.

Som andre steder i North Carolina, ikke mindst i piedmont-regionen, er Yadkin County kendt for mange historier om spøgelser, hjemsøgte huse og andre mystiske fænomener. På trods af det, og på trods af at jeg ihærdigt har været på jagt efter slige oplevelser, har jeg aldrig mødt et eneste spøgelse, men hvis man selv ønsker at gå spøgelsesjagt, er her et par steder, man kan forsøge sig med.

- En lille bro, der fører Dinkin's Bottom Road over en bæk nær Shallowford Road øst for Yadkinville. Her kan man møde en rytter iført en uniform, der identificerer ham som oberst i Revolutionshæren. Måske er det Oberst Joseph Williams, som boede i området, men hvorfor han skulle hjemsøge stedet, er uklart, da hans styrke faktisk vandt Slaget ved Shallow Ford. Andre mener, at der er en Oberst Lankin, som forsøgte at flygte fra General Cornwallis' tropper, men mislykkedes og blev dræbt. I nogle historier slap Lankin væk, fordi hans slave havde iført sig oberstens uniform, for at lokke forfølgerne på vildspor, og det er derfor slaven, der går igen, fordi han blev dræbt i oberstens sted.
- Ikke langt derfra, hvor Shallow Ford Road krydser Yadkin River på grænsen til Forsyth County, kan man, siges det, af og til høre skrig og stønnen fra nogle af de, som blev dræbt under de kampe, som blev udkæmpet ved vadestedet, både under Uafhængighedskrigen og under Borgerkrigen.
- Ved Dobbins Mill Pond nord for Yadkinville, kan man – hvis man er heldig eller det modsatte, afhængig af interesse – se lys, der tilsyneladende svæver lavt over overfladen, særligt på nætter, hvor nogen er druknet i dammen. Nogle mener også, at de har mærket en tilstedeværelse, måske af Jesse Dobbins, som oprindeligt ejede den mølle, som dammen skaffede vand til. Han blev anklaget for at have dræbt en sydstatsofficer under Borgerkrigen, hvorefter han stak af fra området og sluttede sig nordstatshæren. Han blev fundet død uden for sin mølle efter krigen, måske dræbt som hævn for mordet på officeren.

- Nordvest for Yadkinville var der i gamle dage en sump, som var kendt som Booger Swamp. Her boede "bøhmanden" (the boogeyman), og de, der mødte ham, hverken så eller hørte man fra igen. Jeg må indrømme, at det undrer mig, hvordan man kunne vide, at de mennesker, som forsvandt for aldrig at blive set igen, havde mødt denne bøhmand. Sumpen er i dag drænet, og måske forsvandt bøhmanden sammen med vandet, men der er stadig en vej i Yadkinville, der hedder Booger Swamp Road.

- I en gammel ruin uden for Boonesville, kan man høre fodtrin, der går op og ned ad trapper uden at der er nogen til stede.

Jeg kunne blive ved på denne måde, for der er mange historier i dette amt, men hvis man interesserer sig for den slags ting, kan man selv slå flere op på nettet.

Bortset fra de mystiske lys, som jeg altså aldrig har set og "tilstedeværelsen" af Jesse Dobbins, som jeg heller aldrig har mærket, er mølledammen en ganske køn lille sø, som mange lokale bruger som udflugtsmål. Om sommeren for at svømme i dammen og om vinteren, når søen er tilfrossen, for at løbe på skøjter. Men man skal være forsigtig, da der faktisk er mennesker, som drukner i søen af og til. I søen er der "huller", hvor der pludseligt er meget dybt, og hvor vandet er meget koldt. Desuden er der, ikke mindst nær søens udløb, en kraftig understrøm, som kan være svær at håndtere selv for øvede svømmere.

Fra broen, der fører Shallow Ford Road over Yadkin River syd for Yadkinville, kan man se det vadested, der har givet såvel stedet som vejen sit navn. Det var et af de få steder på denne del af floden, hvor det var muligt at krydse floden med vogne. Ved vejsiden, lige vest for broen står to Historical Markers. Den ene fortæller dels historien om, hvordan den britiske general Cornwallis' tropper krydsede floden i 1781, og dels hvordan nogle "patrioter" besejrede nogle "tories" i 1780 (det var det slag, som ovennævnte Oberst Williams vandt). Det andet skilt fortæller om kampe mellem "Stoneman's Rytteri" og sydstatstropper i april 1865. "Stoneman's Raid" var et togt ind i Tennessee og North Carolina af en kavalerienhed under kommando af General George Stoneman. Stonemans enhed kom ind i WNC fra Tennessee gennem Watauga County og drog derefter øst på. Styrkens ordrer var, *"at den ikke skulle deltage i slag, men skulle øde-*

172

lægge". Styrken kom gennem Boone (Watauga County) og fortsatte til Wilkes-boro (Wilkes County), hvor der i øvrigt også findes en Historical Marker, der fortæller om sagen, og det samme er tilfældet i mange af de andre byer, som Stoneman kom igennem på sit togt. I Wilkesboro blev styrken en enkelt nat, hvorefter den fortsatte til Statesville i Iredell County. Derfra fortsatte den til Taylorsville (Alexander County), Lincolnton (Lincoln County) og Asheville (Buncombe County). Disse byer, såvel som det omgivende landskab, blev plyndret og byerne blev helt eller delvist ødelagt. Wilkesboro slap dog forholds-vis billigt, og det samme gjorde Lenoir i Caldwell County, hvor kun en mindre del af styrken tilbragte påsken i 1865 med plyndringer, men ødelæggelserne var forholdsvis få, hvilket muligvis skyldtes, at Stoneman og hans tropper vidste, at der var mange unionstilhængere i området. Rockgruppen The Band nævnte Stoneman's Raid i deres sang "The Night They Drove Old Dixie Down" fra 1969; en sang som Joan Baez gjorde meget populær nogle år senere.

Attraktionerne står ikke i kø i dette amt, med der er nogle udmærkede vinerier i og omkring Yadkin River Valley. Blandt disse er Brandon Hills uden for Yad-kinville, Cellar 4221 i East Bend, Midnight Magdalena Vineyards i Jonesville, RagApple Lassie Vineyards i Booneville og flere andre. Min egen favorit er Laurel Gray Vineyards udenfor Hamptonville. Her får man god vin, god service og det er generelt et rart sted at besøge med smukke omgivelser, og husk at prøve deres glimrende BBQ Sauce (nej, jeg får ikke provision for at henvise kunder ☺). Omkring Hamptonville er der et lille amishsamfund, så her kan man opleve hestevogne på vejen, og Shiloh General Store drives af amishfolk, som sælger brød, ost, krydderier, håndlavet trælegetøj, håndlavede træmøbler og meget andet. Samfundets ældste har bestemt, at det er ok med moderne tekno-logi i butikken, så her er både elektrisk lys, kreditkortterminal og andre moderne bekvemmeligheder, men så snart de lukker og slukker, er det tilbage til det, der normalt er accepteret i disse samfund.

Der er nogle få steder at bo i Yadkinville, men de fleste ligger længere mod nord omkring Jonesville, som i dag er vokset sammen med Elkin (i amterne Surry og Wilkes). Da de fleste moteller ligger ved frakørsler fra motorvejen, er det de store kæder, som dominerer; Best Western, Hampton Inn, Comfort Inn og Days Inn er blandt mulighederne. I Yadkinville finder man Vintage Inn Bed and Breakfast og man kan leje hytter hos Old Log Cabin sydvest for Yadkin-ville. Jeg har aldrig spist i dette amt, så ingen anbefalinger her.

Yancey County

Så er jeg kommet til det sidste amt i denne guide. Vi er tilbage i den vestlige del af WNC ved grænsen til Tennessee. Amtet har 18.000 indbyggere, som de-ler et område på 811 km². Amtet har eksisteret siden 1833, og er opkaldt efter Bartlett Yancey, som var medlem af USA's kongres mellem 1813 og 1817. Yancey var født og opvokset i det, der senere blev amtet. Amtssæde og største by er Burnsville med et befolkningstsal på 1.700. Ud over Burnsville er der kun nogle unincorporated communities i amtet. Blue Ridge Parkway går gennem Yancey County, som også rummer dele af Pisgah National Forest.

I 1833, samme år som amtet, blev også Nu-Wray Inn i det nuværende Burns-ville grundlagt. Forfattere som O. Henry og Thomas Wolfe har boet på kroen, og det samme har Elvis Presley i nyere tid. Parkway Playhouse, også i Burns-ville, er det ældste, fortsat aktive, sommerteater i North Carolina. John Wesley McElroy House, som blev bygget af en lokal forretningsmand til sin kone, er i dag museum. Under borgerkrigen var McElroy brigadegeneral i sydstatshæren, og huset blev brugt som hospital. Museet, der kaldes Rush Wray Museum of Yancey County, udstiller genstande af lokalhistorisk interesse foruden møbler fra perioden, hvor det blev bygget.

Ikke langt fra Burnsville ligger Mount Mitchell State Park og i parken finder man Mount Mitchell, som med sine 2.037 m er det højeste bjerg i USA øst for Mississippifloden. De nærmeste bjerge, som er højere, ligger i Rocky Moun-tains i South Dakota. Adgang til parken og bjerget sker via Blue Ridge Parkway. Ved Milepost 335,4 skal man tage North Carolina State Road 128 til en parkeringsplads tæt på toppen. På vejen op til parkeringspladsen passerer man et campingområde og en restaurant, Mount Mitchell State Park Restaurant. Fra parkeringspladsen fører en ca. 300 meter lang sti til et 11 m højt udsigtstårn på toppen af bjerget. Stien er forholdsvis stejl, men asfalteret og den kaldes "tilgængelig for kørestole", men det kan være en hård omgang at skubbe en kørestol op ad stien. Jeg har hørt, at i klart vejr skulle udsigten fra toppen være imponerende, og ved begge de lejligheder, hvor jeg har besøgt stedet, var der da også en rimelig god udsigt fra parkeringspladsen, men da jeg endelig nåede op til tårnet på toppen, var det så tåget, at jeg end ikke kunne se parkeringspladsen 150 m væk. Så hvis vejret er dårligt, når man kommer derop, er der faktisk ikke grund til at gå helt op til toppen, bortset fra, selvfølgelig, hvis man gør det for motionens skyld. Omkring 1½ km nord for Mount Mitchell ligger Mount Craig, det næsthøjeste bjerg i det østlige USA.

Nu-Wray Inn er stadig en kro, som den har været det i næsten 200 år. Priserne er rimelige, når man tænker på, at det er en historisk kro. Andre indkvarteringsmuligheder er Albert's Motel og Celeb Inn, der begge ligger i den sydlige del af amtet ved NC Route 80, omtalt i kapitlet om McDowell County. Det er omkring Burnsville, man kan få noget at spise. Snap Dragon i centrum, Pig and Grits og Bantam Chef er alle et besøg værd, og man kan spise på Mount Mitchell State Park Restaurant på vej op til bjerget.

"Devil's Whip¨" strækningen på NC Route 80 i McDowell County, en tåget og regnfuld dag.

Mitchell County Courthouse i amtssædet Bakersville.

Kvarts brydes i et åbent brud i en mine nord for Spruce Pine i Mitchell County.

Museum of North Carolina Minerals, Mitchell County, ligger ved en indkørsel til Blue Ridge Parkway fra US Route 226 syd for Spruce Pine.

Legetøjshesten Morris er symbol for hestesportsbyen Tryon i Polk County.

Hovedgaden i Saluda på grænsen mellkem amterne Henderson og Polk. Den nu nedlagte jern-
bane anes til venstre i billedet.

Chimney Rock i statsparken af samme navn i Rutherford County på en tåget dag.

Lake Lure i Rutherford County er en af de søer i WNC som har en sandstrand.

Stokes County Courthouse. Amtssædet Danbury, hvor man finder domhuset, er med færre end 200 indbyggere det mindste amtssæde i North Carolina.

Hovedgaden i Mount Airy, amtssæde i Surry County.

Pilot Mountain i Surry County har en meget karakteristisk form og rager op over det omgivende, flade landskab, selv om toppen kun er omkring 700 m over havets overflade.

Når man kører fra Maggie Valley i Haywood County til Cherokee i Swain County ad US Route 19, kommer man ind i cherokeereservatet (Qualla Boundary), som ikke er et reservat i tradtionel forstand, men et område som Bureau of Indian Affairs forvalter på stammens vegne.

I Cherokee er alle gadeskilte skrevet såvel med latinske bogstaver som med stammens eget syllabarium (stavelsesalfabet).

Oconaluftee Island Park i Cherokee bruges til rekreative formål som fx badning og picnic.

Om sommeren opføres forestillingen Unto These Hills på Mountanside Theater i Cherokee. Forestillingen fortæller stammens historie fra omkring 1540 til 1840.

Bryson City er amtssæde i Swain County. Her starter de to togruter, der kører med turister til henholdsvis Dillsboro og Nantahala Gorge. Nogle af turene køres med damplokomotiv, men de fleste med diesel.

Nord for Bryson City finder man The Road to Nowhere og The Tunnel to Nowhere. De fører ingen steder hen.

Weaver College Bell Tower står på Brevard College i amtsædet Brevard i Transylvania County, som minde om det nu nedlagte Weaver College.

I Transylvania County nord for Brevard ved US Route 276 finder man Looking Glass Falls, hvor man kan bade i dammen for foden af vandfaldet.

Hovedgaden i Boone, amtssæde i Watauga County og hjemsted for WNC's største universitet, Appalachian State University, med 19.000 studerende.

Northwest Trading Post ved Blue Ridge Parkway i Watauga County nord for Boone. Her sælges bl.a. arbejder af lokale kunsthåndværkere.

Blowing Rock på grænsen mellem amterne Caldwell og Watauga. Her blæser vinden altid op nede fra dalen.

I Wilkesboro, amtssæde i Wilkes County, tager den afdøde country og bluegrasmusiker Arthel "Doc" Watson imod gæster på dette vægmaleri.

I Wilkesboro finder man Old Wilkes Jail, der i dag er en del af Wilkes Heritage Museum. I cellen med de mange tremmer øverst til venstre sad Tom Dooley fængslet i nogle måneder i 1866, inden han blev overført til Statesville i Iredell County, hvor retssagen mod ham fandt sted. Også den berømte "flugtkonge", Otto Wood, har siddet her i fængslet, hvor han dog ikke undslap fra.

På museet finder man også en af den berømte NASCAR kører "Junior" Johnsons tidlige biler.

Syd for Wilkesboro finder man den lille bebyggelse Moravian Falls med vandfaldet af samme navn.

I den nordlige del af Wilkes County ligger Stone Mountain State Park med den 183 m høje granitklippe af samme navn.

Vest for Wilkesboro ved US Route 421 ligger Fort Hamby Park med Forest Edge Amphitheater. Her opføres forskellige stykker om sommeren, når vejret tillader det. Blandt disse er "Tom Dooley – A Wilkes County Legend" af Karen Reynolds, som billedet er fra.

Vest for Wilkesboro ved NC Route 268, i den lille bebyggelse Ferguson, ligger frilandsmuseet Whippoorwill Academy and Village, der holder åbent den tredje lørdag i hver måned fra april til oktober. Kirken midt i billedet er et populært sted for bryllupper.

Og endnu en af områdets mange floder og bække. Her Reedy Branch i Wilkes County, som er en biflod til områdets største flod, Yadkin River.

Dobbins Mill Pond uden for Yadkinville, amtssæde i Yadkin County. Her siges det at spøge.

Udsigt fra Mount Mitchell i Yancey County. Mount Mitchell er det højeste bjerg i det østlige USA. I klart vejr er udsigten fantastisk, men den er nydelig selv med varmedis.

Information til rejsende til og i USA

Har man besøgt USA tidligere, eller måske endda bor der og har styr på sædvaner, regler og love, er dette afsnit af bogen måske ikke interessant, da læseren i så fald formodentlig ved det meste i forvejen, men man er selvfølgelig velkommen til at læse det alligevel ☺. Hvis man er ny som rejsende i USA, vil jeg mene, at man kan have glæde af indholdet af dette afsnit, også selv om man rejser andre steder end i det vestlige North Carolina. Nogle af informationerne er specifikke for denne stat, mens mange er generelle for USA. Men afsnittet er altså mest skrevet for mennesker, som har læst denne bog og er blevet inspirerede til at aflægge USA og især WNC et besøg.

Vær opmærksom på, at informationerne er ordnet alfabetisk, ikke efter vigtighed.

Brændstof

De fleste udlejningsbiler kører på benzin; jeg har faktisk aldrig mødt en der kørte på diesel, og i USA er diesel typisk også dyrere end benzin i modsætning til i Danmark. I WNC skal man være opmærksom på, at der kan være et stykke til en tank, hvis man kører tør på en lille grusvej i bjergene, men ellers er det som regel nemt at finde en tankstation.

På de fleste tankstationer er det muligt at betale ved standeren ved hjælp af kreditkort, men det kan af og til give problemer for turister. På mange tankstationer, ikke mindst fra de store selskaber, skal man indtaste en såkaldt zip kode (postnummer), som bekræftelse, og denne bliver så sammenlignet med den, der er gemt på kortet, men som udlænding har man ikke en sådan amerikansk zip kode registreret på sit kreditkort. Af og til er det muligt at anvende en "falsk" zip kode, som fx"00000" eller "12345", men hvis dette ikke virker, må man gå ind i butikken for at forudbetale sin benzin. Afhængig af hvilken bil jeg kører i, den aktuelle benzinpris, og hvor meget benzin, jeg regner med, at der er tilbage i tanken, vil jeg typisk forudbetale $30 - $50. Forudbetaler man for meget, betyder det ikke noget, da der kun hæves det beløb på kortet, som man faktisk har tanket for.

Benzinpriserne kan svinge meget selv inden for et så begræset område, og jeg har oplevet forskelle på over 1,50 dollars pr. gallon. Typisk er prisen højest på afsides beliggende tankstationer uden meget konkurrence og i de større byer, men under alle omstændigheder er det langt billigere end i Danmark. I skrivende stund (september 2020), ligger de priser, jeg har kunnet finde fra WNC asz, mellem $1,70 og $2,40, som svarer til (med den pt gældende kurs) fra knap 3 kroner til godt 4 kroner pr. liter, men vær opmærksom på at priserne svinger stort set fra dag til dag og fra sted til sted, ligesom dollarkursen også ændrer sig løbende, så brug kun disse tal som illustration af, at prisen altså er billigere end i Danmark.

Vær opmærksom på, at i modsætning til i Danmark, er det ofte det sorte håndtag, der er benzin og det grønne, der er diesel. Man skal dog også være opmærksom på, at det kan være omvendt på nogle tanstationer – det skal jo ikke være for nemt. Også oktantallene er anderledes. I USA bruger man lavere oktantal, end vi gør i Danmark, hvor 92 eller 95 er det normale, selv om man kan få 99 eller 100 oktan visse steder. I USA er oktantal mellem 87 og 91 normale, og de fleste biler kan køre på 87. Årsagen til denne forskel er, at man i USA udregner oktantallet efter en anden metode, kaldet AKI, hvor man i Europa bruger en metode, der kaldes RON. 95 RON svarer cirka til 90 til 91 AKI, så oktanindholdet er faktisk det samme. Det meste af den benzin, man køber i USA er ligesom i Danmark tilsat ethanol i en eller anden udstrækning, hvilket langt de fleste biler kan køre på.

Stort set alle tankstationer, selv de mindste, har et mindre "supermarked", hvor man udover ting til bilen, også kan få øl, vand, slik, og ofte også et mindre eller større udvalg af dagligvarer.

Dato, tid og tidsforskel

I USA bruger man et andet datoformat end i Europa. Måneden nævnes før datoen, som fx 07/20/2020, som er ret nem at oversætte til 20. juli 2020, da der jo ikke er 20 måneder, men det er en smule mere vanskeligt med 07/08/2020 som vi ville læse som 7. august 2020, men amerikanerne læser det som 8. juli 2020. Selv nogle computerprogrammer har vanskeligt ved at gennemskue dette, hvilket kan give problemer ved datosortering; men det får man nok ikke brug for på en ferie til WNC, dog skal man være opmærksom på datoformatet, hvis man fx får en bekræftelse på en booking pr. mail.

Klokkeslæt opgives i 12-timers intervaller, som fx 10 am eller 2 pm (am = Ante Meridiem, før middag og pm = Post Meridiem, efter middag). 12.30 pm er halv et om eftermiddagen. 12 am er midnat og skrives normalt som 12 midnight, mens 12 pm er middag, og normalt skrives det som 12 noon. På britisk-engelsk har man udtryk som "half five", der ikke betyder halv fem, men er en sammentrækning af half past five, altså halv seks, men disse betegnelser bruges normalt ikke i USA.

Tidsforskellen mellem Western North Carolina (Eastern standard Time) og Danmark (Central European Time) er seks timer, Det betyder, at når klokken er 8 morgen i Danmark er den kun 2 nat i WNC, og når den er 20 i WNC er den 2 om morgenen i Danmark. I USA bruger de fleste stater sommertid eller Daylight Saving Time (DST) ligesom vi indtil videre gør i EU. Kun to stater bruger ikke DST, nemlig Hawaii og Arizona, og Arizona er ret speciel idet Navajo reservatet i staten faktisk bruger sommertid, mens Hopi resevatet, der ligger helt indesluttet i Navajo Nation, ikke gør. God fornøjelse med at holde styr på det. I 2020 skiftes tilbage til normal tid i USA den 1. november, mens det i EU sker den 25. oktober. I 2021 begynder sommertiden i USA den 14. marts og slutter den 7. november. EU Parlamentet har besluttet at afskaffe skiftet mellem sommer- og vintertid fra 2021, så hvordan, det kommer til at se ud her, er endnu ikke fastlagt, og det kan tænkes, at det ikke kan nås inden 2021, da forhandlingerne er nedprioriteret på grund af covid-19 krisen. Måske skal der være normaltid hele året, måske sommertid – og der har sågar været forslag om, at de enkelte medlemslande selv må bestemme. At datoerne for skiftet ikke er de samme i EU og USA, skal man være opmærksom på, hvis man flyver i den periode, så man ikke pludselig har en time mindre mellem to fly, og dermed måske mister en forbindelse.

Husk også, at der er fire tidszoner i USA: Eastern Standard Time, Central Standard Time, Mountain Standard Time og Pacific Standard Time, (og selvfølgelig tilsvarende DST tider) så der er altså fire timers forskel på Californien og North Carolina; så man skal nok ikke ringe til en person i Californien, når den er otte morgen i WNC.

Drikkepenge

I de fleste europæiske lande, herunder Danmark, er service (eller mangel på samme) på restauranter, hoteller, barer, i taxier og lignende inkluderet i prisen, hvilket betyder, at man ikke behøver at give drikkepenge. I Danmark blev drikkepenge faktisk afskaffet ved lov helt tilbage i 1969, hvor det blev bestemt at alt, herunder service, skulle være inkluderet i den opgivne pris for en tjenesteydelse. Der er dog stadig (eller måske snarere igen) en del mennesker, som giver drikkepenge herhjemme.

I USA giver man **altid** drikkepenge! Her er lønningerne til servicepersonale langt lavere end i Danmark og ofte lavere end i andre brancher, da man i nogle stater, herunder North Carolina, faktisk har to minimumslønssatser, én for brancher, hvor man ikke får drikkepenge og en anden, lavere, for brancher hvor medarbejderne forventer drikkepenge. Derfor betragtes drikkepenge som en del af lønnen, selv om mange, ikke kun udlændinge, men også en del amerikanere er modstandere af systemet og mener, at det burde afskaffes, og lønningerne i stedet sættes op, så man kan regne med, at den pris, der står på menukortet også er det, der skal betales. Se dog også afsnittet om "Moms" og andre afgifter på side 213.

På restauranter varierer drikkepengene typisk mellem 15 og 25 % afhængig af, hvordan man vurderer den service, man har fået. I nogle restauranter skrives forskellige forslag til drikkepenge på kvitteringen, hvilket jeg ikke bryder mig om; jeg vil hellere selv regne ud, hvor meget der skal gives. Det eneste tilfælde, hvor man ikke giver drikkepenge, er hvis servicen har været så ringe, at man klager til ledelsen over den, men det har jeg endnu aldrig været nødt til. Det kan ofte være en god ide at give lidt flere drikkepenge, end det egentlig er nødvendigt, ikke mindst hvis det er på en restaurant, hvor man regner med at komme tilbage, da det kan betyde, at man får endnu bedre service ved det næste besøg. Ved en enkelt lejlighed fik min søn og jeg givet rigeligt mange drikkepenge, omkring 50 %, selv om det var af et forholdsvis lille beløb, og det betød, at da vi kom tilbage næste dag, var der ved at opstå tumult, da den servitrice, der havde betjent os dagen før, opdagede, at vi blev placeret ved en af hendes kollegers borde. Da de to havde haft en intens diskussion med seateren (den person der viser gæsterne på plads), endte det med at de to tjenere byttede borde, så damen, der havde betjent os dagen før, fik lov igen. Det var godt nok i New

Mexico, men måske kan rygtet om de to gavmilde danskere sprede sig til WNC ☺.

På hoteller og moteller lægger man typisk et beløb til rengøringspersonalet, når man forlader stedet. 1 til 2 dollars pr. nat, man har overnattet, er normalt. Også taxichauffører, tourguider, chauffører på turbusser, førere af turbåde osv. forventer drikkepenge. Her er det min erfaring at $5 eller $10 vil være rimeligt i de fleste tilfælde.

Ét sted giver man ikke drikkepenge, og det er i butikker og supermarkeder, selvom det er normalt, at kassedamen pakker varerne i poser for kunderne, så man ikke selv skal pakke. Men det giver man altså ikke drikkepenge for.

Elektricitet

I USA er standardspændingen 110 til 120 volt, 60 Hz vekselstrøm. Normalt vil det ikke volde problemer, selv om man bruger europæisk udstyr beregnet til 220 -240 volt. Man kan oplade telefon, kamera, pc, tablet og andet udstyr uden problemer, men det tager måske en anelse længere, end man er vant til, og det meste elektriske udstyr, man medbringer, vil kunne bruges. Der findes dog udstyr, som ikke kan fungere med den lavere spænding, og det bør man tjekke på forhånd. Noget udstyr har en indbygget omskifter mellem 110-120 og 220-240 volt, men til andet er man nødt til at købe en omformer. Disse kan man købe lufthavnen, men de vil ofte være billigere, hvis man køber dem i elektronikbutikker. Køber man elektrisk udstyr i USA, som skal kunne bruges hjemme, skal man ligeledes sikre sig, at det kan fungere med 220-240 volt, ellers vil man typisk ødelægge udstyret, når man sætter det i en dansk stikkontakt.

Og husk at medbringe en eller flere adaptere. I USA bruger man stik med to parallelle, flade ben, ikke dem vi kender fra det meste af Europa. Nogle stikkontakter er jordede, men man kan godt bruge en adapter uden jordforbindelse i en jordet stikkontakt. Normalt medbringer jeg et par adaptere (den ene som reserve) og så en forlængerledning med en stikdåse med fem eller seks udtag. Stikkontakter findes typisk ikke til overflod på hoteller og moteller i USA, selv om det er blevet betydeligt bedre end bare for nogle år siden, da mange indkvarteringssteder er begyndt at opsætte bordlamper med strømudtag. Med min stikdåse kan jeg så tilslutte det udstyr, jeg har brug for med kun en enkelt adapter.

Forsikring

Det er dyrt at blive syg i USA. Hverken det danske (gule) Sundhedskort eller det blå EU Sygesikringskort gælder i USA. Derfor er det vigtigt at have en god rejseforsikring. En sådan kan købes for en enkelt rejse, men rejser man ofte, kan det betale sig at tegne en årsrejseforsikring, enten gennem sit "normale" forsikringsselskab eller hos et af de selskaber, som har specialiseret sig i rejseforsikringer, fx Europæiske/ERV eller Gouda. Det er i det hele taget en god ide med en rejseforsikring, også hvis man kun rejser inden for EU, da det blå kort kun dækker det, som et givet EU lands egne borgere ville få dækket, så også her kan man komme til at betale en del selv. Hvis man allerede har en rejseforsikring, bør man sikre sig, at den også gælder USA og undersøge hvad den dækker og hvor stort et totalbeløb. Nogle kreditkort har en "indbygget" rejseforsikring eller man kan tilkøbe en, men igen bør man undersøge, hvad der dækkes. På nogle områder er de forsikringer, som er knyttet til kreditkort, bedre end nogle almindelige rejseforsikringer, men på andre områder er de ringere. Under alle omstændigheder skal man medbringe et bevis for, at man er forsikret, hvis noget skulle gå galt.

Jeg har heldigvis kun været nødt til at anvende USA's sundhedsvæsen en enkelt gang, og det var i Californien, ikke i WNC, men forskellen på de to "ender" af landet er ikke så stor på dette område. Min datter blev syg og måtte hentes i ambulance[17] på vores hotel. Redderne kørte hende til den lokale skadestue, hvor vi ankom kl. 18.30. Her blev hun undersøgt af en læge, fik foretaget to c/t skanninger, blev undersøgt igen og vi blev sendt hjem kl. 23.30, da behandling ikke var nødvendig. Prisen for denne lille sag var $10.000, hvilket vi opdagede, da forsikringsselskabet var for længe om at få betalt, så vi selv fik en rykker fra hospitalet. En bekendt kunne tilføje, at havde de beholdt hende natten over, kunne vi have lagt 7-8.000 dollars oveni det beløb. Det er ved sådanne lejligheder, at man sætter pris på sin rejseforsikring.

---

[17] Ambulancekørsel kan også koste penge, ikke mindst hvis man kører med et privat selskab (op til $ 2.500 har jeg ladet mig fortælle). Her blev vi dog kørt med en ambulance fra SFFD, San Francisco Fire Department, og så fik vi det gratis, fordi vi var gæster i byen ☺.

Det er selvfølgelig ikke kun ved sygdom undervejs, man kan få behov for sin forsikring. Familiemedlemmer kan blive syge hjemme, så man må tage hjem før tid, bagagen eller andre værdisager kan blive stjålet (eller bare forsvinde hos luftfartsselskabet) eller lignende, så det bør forsikringen også dække. Endelig kan man blive syg før afrejse eller der kan ske andre ting, som gør at man ikke kan komme af sted, som vi har set det under covid-19 krisen, så en god afbestillingsforsikring er også en god idé.

Færdselsregler og kørsel

De amerikanske færdselsregler ligner meget de, vi har i de fleste europæiske lande, herunder Danmark, men der er dog enkelte forskelle. Her er – ikke i nogen særlig orden – nogle vigtige regler fra North Carolina, hvoraf nogle, men ikke alle, også gælder i andre stater.

- Alle i en bil skal have sikkerhedssele på under kørslen. Børn under seks år skal sidde fastspændt i et barnesæde (som man typisk kan leje hos biludlejningsselskaberne).
- Hastighedsgrænserne varierer meget i WNC; fra normalt 55 miles (88 km) i timen på hovedveje og større amtsveje, til 65 miles (105 km) på motorveje og flere andre store hovedveje. Et par af de interstate highways, der går gennem WNC har en hastighedsbegrænsning på 70 miles (112 km) på nogle strækninger, men den nedsættes typisk omkring større byer. I byer og landsbyer kan hastighedsgrænsen falde til 25 miles (40 km) eller endda 15 miles (24 km) i timen selv hvis det er en hovedvej, der fører gennem byen. Som nævnt på side 59, er den højeste hastighed på Blue Ridge Parkway 45 miles (72 km) i timen, men flere steder er den lavere.
- Er der ikke skiltet med hastighedsgrænser, er disse 25 miles (40 km) i timen i bymæssig bebyggelse, 55 miles (88 km) uden for byer og 70 miles (112 km) på motorveje. Husk, at der normalt gælder samme hastighedsgrænser for lastbiler og personbiler.
- Kører man for stærkt, kan man straffes med bøde og/eller fængsel. Bødestørrelsen afhænger af hastighedsoverskridelsen og varierer fra $10 til $250. Dertil kan komme retsomkostninger på mellem 200 og 250 dollars, hvis sagen skal for en dommer. De fleste bøder ligger dog mellem 10 og 50 dollars. Kører man mere end 15% for hurtigt eller over

80 miles (129 km) i timen betragtes det som en såkaldt "klasse 3 for-
seelse", som kan resultere i fratagelse af førerretten i USA. Andre for-
seelser giver større bøder, fx at køre for hurtigt i en skolezone eller
hvis man overhaler en skolebus, som holder stille med advarselsblin-
ket tændt. Her vil bøden normalt udgøre mindst $250. Ved vejarbejde
fordobles bødestørrelsen for hastighedsoverskridelser.

- Heldigvis vil man mange steder i USA skilte med at lige om lidt sættes
  hastigheden ned, så man er advaret, for der kan godt være hastigheds-
  kontrol lige efter et skilt med lavere hastighed, men her er man altså
  advaret på forhånd i modsætning til i Danmark.

- "Gaderæs", som man forhåbentlig ikke bliver involveret i, er en
  "klasse 1 forseelse", og kan resultatere i op til 3 års fratagelse af fører-
  retten og evt. konfiskation af køretøjet (også selv om det er lejet). Des-
  uden har man begrebet "reckless driving" (uforsvarlig kørsel), som er
  et meget bredt defineret begreb i North Carolina. I almindelighed dæk-
  ker det over, at man kører hensynsløst og uden at passe på andres sik-
  kerhed, eller kører med en hastighed, der kan bringe andre i fare. Reck-
  less driving straffes med bøder op til $1.000 og op til 90 dages fængsel.
  Hvis nogen dør i et trafikuheld, som følge af at man har overskredet
  hastighedsgrænsen, kan man idømmes op til 160 måneders fængsel!

- Det er tilladt at dreje til højre ved rødt lys, med mindre noget andet er
  skiltet ved et givent trafiklys. Før man drejer, skal man dog standse
  helt op og sikre sig, at man kan foretage svinget uden at skabe fare for
  andre.

- "Four-way" eller "All-way" Full Stop er et fænomen, som kun fore-
  kommer i USA og Canada. I hvert fald er jeg aldrig stødt på det andre
  steder. Alle fire veje, der mødes ved et vejkryds, har fuldt stop, og man
  skal nærme sig et sådant kryds med stor forsigtighed og standse helt
  op ved stoplinjen, før man fortsætter over krydset. Den første bil, der
  holder helt stille, er også den første der fortsætter, så den næste og den
  næste og så fremdeles, så man skiftes til at køre i de to retninger. Det
  fungerer overraskende godt, og man kommer ofte hurtigere frem end
  ved stoplys.

- Såkaldte Diamond Lanes eller HOV lanes (High Occupancy Vehicles)
  på motorveje omkring store byer, må kun benyttes hvis man er mindst

to eller tre i bilen – det konkrete minimumsantal skiltes ved disse vej-baner. I North Carolina er det normalt to, men pt. findes de eneste HOV lanes i området omkring Charlotte, og der er uden for det egent-lige WNC.

- Betalingsveje kan være vanskelige for turister, da man i dag meget ofte kun kan betale med en elektronisk "dims" i lighed med en bro-bizz, eller via "pay-by-plate", og i begge tilfælder opkræver udlejningssel-skabet typisk et betragteligt gebyr for at administrere betalingen. Da der imidlertid endnu ikke er betalingsveje i WNC (de nærmeste er HOV banerne rundt om Charlotte), vil jeg ikke komme nærmere ind på det. Skal du køre i andre stater, hvor den slags betalingsveje fore-kommer oftere, så tal med udlejningsselskabet om det.

- Man skal huske altid at have kørekort og pas med, når man kører. Som nævnt under Leje af bil på side 209, vil et dansk kørekort typisk være nok, men vil man være helt sikker, kan man få udstedt et internationalt kørekort i Borgerservice og medbringe dette.

- Det er forbudt at drikke alkohol både før og under kørslen. Nogle stater har en nul-alkohol regel, men i North Carolina accepteres en promille på op til 0,8, hvis man er ældre end 21, dog kun 0,4 promille, hvis man har en tidligere dom for spirituskørsel (DWI – Driving When Impai-red) og det samme gælder erhvervschauffører. Er man under 21 er den tilladte alkoholpromille 0,00. Vær opmærksom på, at man kan døm-mes for DWI, selv om alkoholpromillen er under det lovlige, hvis det skønnes at man ikke kan føre bil på betryggende vis. Bøderne er høje, og man kan risikere fængselsstraf. Op til $10,000 i bøde og 36 måne-ders fængsel – selv om man ikke er årsag til ulykker. Så lydt til et godt råd: **"Lad være med at tage chancen. Man skal holde sig fra alko-hol (og narkotika), når man kører eller skal køre."** Ikke på grund af bøden eller fængselsstraffen, men på grund af egen og andres sik-kerhed. Og husk, at hvis man har været godt fuld en aften, har man sandsynligvis stadig for meget alkohol i blodet næste dag, selv om man føler sig frisk.

- Hvis man bliver stoppet af politiet, er det ulovligt at nægte at under-kaste sig en alkohol- eller narkotest. Hvis man nægter, vil retten til at føre bil øjeblikkeligt blive inddraget i 30 dage og efter en høring i retten i et år. Selv hvis man findes "ikke skyldig" i at have kørt i påvirket tilstand, vil den et-årige frakendelse for at nægte testen, stadig gælde.

- Det er ikke tilladt at have alkoholbeholdere (flasker, dåser eller andet) i bilen, når man kører. Alkohol skal opbevares i bagagerummet.

- I North Carolina er det ikke forbudt at tale i håndholdt telefon, mens man kører bil, hvis man er over 18, men det kan bestemt ikke anbefales. Vær også opmærksom på, at det pt. er helt forbudt i femten stater og antallet er stigende. Det er dog også i North Carolina helt forbudt at bruge en telefon til at sende SMS eller andre tekstbeskeder under kørslen, og det koster pt. 100 dollars i bøde. I modsætning til andre stater kan politiet stoppe bilister, alene fordi de sender tekstbeskeder, mens de kører, mens der i andre stater skal være en anden primær grund til at stoppe en bil. Politiet anvender udstyr, der kan skelne mellem, om man taler eller tekster, så det er ikke muligt at undskylde sig med, at man talte. For erhvervschauffører er det helt forbudt at bruge håndholdte telefoner under kørslen i staten. Selv om det ikke er forbudt, kan man blive gjort erstatningsansvarlig for skader, der opstår under uheld som følge af brugen af håndholdt telefon.

- Man kan få ret store bøder (op til $1.000) og 24 timers samfundstjeneste for at henkaste affald.

- Man vil ofte se skilte (og ikke kun i WNC, men overalt i USA) med teksten "Adopt a Highway" eller "Sponsor a Highway". Disse skilte betyder at en virksomhed, en organisation eller én eller flere privatpersoner er sponsorer for fjernelse af affald på en mile af den pågældende vejstrækning.

Amerikanere er normalt gode til at vise hensyn i trafikken, langt bedre end mange europæere, herunder danskere. Hvis man fx er kommet i den forkerte bane på en motorvej, og skal forlade vejen ved en afkørsel og viser dette med afviserblinket, er de bagvedkørende i de baner, man skal passere, gode til at gøre plads. Dette kan ske, da der flere steder på motorveje er afkørsler i venstre side af vejen. Det er også mere sandynligt, at en amerikaner giver plads, selv om han/hun i en given situation har forkørselsret, og man holder i det hele taget mere tilbage for hinanden. I nogle stater, skal man gennemføre undervisning og bestå en prøve i trafiketik, før man kan få sin "learners permit", men dette gælder ikke i North Carolina.

Hvis man kører, når det er mørkt eller ikke mindst tusmørke og især i skovområder eller gennem områder med marker, er det vigtigt at vise forsigtighed. Dyr, som typisk fouragerer i tusmørket, kan pludselig dukke op på vejen foran en, og mange dyr er så store, at ikke kun dyret kan blive skadet, men også bilen og dens passagerer, af og til med dødelig udgang. En 250 kg tung bjørn eller en 500 kg tung wapitihjort, kan gøre en masse skade, hvis man rammer den med sin bil. Et andet dyr, som ofte laver skader på fører og passagerer er bæltedyret, som, selv om det ikke er særligt stort (2 - 6 kg), har en adfærd, der gør det farligt for kørende. Når bæltedyr bliver forskrækkede, vil de typisk springe lige op i luften, og da de kan hoppe mellem 90 og 120 cm, betyder det desværre ofte, at de ikke bliver ramt af bilens front, men rammer forruden i stedet. Bæltedyr er derfor ikke gode til at krydse veje. Faktisk har man en "gåde", der bruges i WNC: *"Hvorfor gik pungrotten over vejen? For at vise bæltedyret, at det kan lade sig gøre."*

Indkvartering
Jeg har i kapitlerne om de enkelte amter omtalt flere forskellige indkvarteringsmuligheder, så dette kapitel er mere generelt, og kommer ikke ind på specikke overnatningssteder.

Hvis jeg bestiller et hotel på forhånd, vil jeg normalt benytte mig af de store hotel- og motelkæder, da jeg så kan være nogenlunde sikker på, at de ikke går konkurs og lukker, så jeg mister en eventuel forudbetaling. I øvrigt anbefaler jeg, at man ikke betaler på forhånd, men venter med at betale, til man er på hotellet, selv om det ofte gør prisen lidt højere. En anden grund, til at jeg vælger kæder, er også, at hvis man bestiller værelser på kæder som Hilton, Marriott, Wyndham, Choice, Holiday Inn eller andre tilsvarende, er standarden typisk den samme på tværs af kædens hoteller, hvilket betyder, at et værelse i Winston-Salem vil ligne et værelse i Raleigh eller Asheville. De køber formodentlig også deres gulv- og sengetæpper, håndklæder osv. fra den samme leverandør. Best Western er lidt anderledes, og disse hoteller kan være af meget varierende kvalitet, fordi der er tale om privatejede hoteller, der bare samarbejder. Det bedste (og dyreste) hotel, jeg nogensinde har boet på, var et Best Western i San Francisco, Californien, og det ringeste (men ikke billigste) var et Best Western i Raleigh i North Carolina. Sidstnævnte lignede både ude og inde et nedlagt militærhospital, gråt og kedeligt, og væggene på gangene, der var næsten uden lys, var malet møkegrønne. For at gøre det lidt nemmere at få styr på kvaliteten opererer Best Western nu med tre kategorier, Best Western, Best Western Plus og Best Western Premier. Men der er selvfølgelig masser af glimrende hoteller og moteller uden for kæderne, så det er bare om at vælge.

Hvis jeg ikke bestiller på forhånd, som det ofte er tilfældet, når jeg er på roadtrip og ikke ved, hvor jeg vil slutte en etape, benytter jeg mig meget ofte af de hoteller/moteller, som ligger ved motorvejsafkørsler. Ved de enkelte afkørsler skiltes normalt med hvilke indkvarterings-, forplejnings- og brændstofmuligheder, der findes i nærheden af den pågældende afkørsel.

Skal jeg blive samme sted i mere end én eller to dage, vil jeg normalt foretrække at bo på B&B, som efter min mening er meget mere personligt og i de fleste tilfælde mere hyggeligt end et hotel eller motel, selv om det også ofte kan være dyrere, og som man kan se i kapitlerne om de enkelte amter, er der mange af dem i WNC. Nogle af disse kan man booke via nettet, andre kun ved at sende dem en mail, og atter andre skal bookes via telefon. Under alle omstændigheder foretrækker jeg at kontakte steder, hvor jeg ikke tidligere har boet, via telefon, så jeg kan få en fornemmelse af stedet og værterne. Men husk tidsforskellen (se side 195) når der ringes op. Ikke mange B&B værter vil nyde at blive vækket kl. 3 om natten af en dansker, der vil forhøre sig om værelser.

Der er også mange muligheder for at indkvartere sig for kortere eller længere tid via Airbnb, men her må man selv undersøge mulighederne via Airbnb's hjemmeside.

Internet
De fleste hoteller, moteller, kroer og B&B steder tilbyder internetforbindelse, og de fleste har Wi-Fi, i hvert fald i lobbyen eller andre fællesområder, men i dag har langt de fleste også Wi-Fi på værelserne. Af en eller anden grund er internetforbindelse typisk gratis på de billige hoteller og moteller, mens man skal betale på de dyre. Denne betaling kan være betragtelig nogen steder. Af og

til bliver man opkrævet en samlet afgift for værelset, uanset hvor mange enheder man går på nettet med, men jeg har også oplevet at skulle betale for hver enhed for sig, og så kan det hurtigt blive dyrt. Det dyreste, jeg har oplevet var et hotel (dog i Miami, Florida), hvor det kostede $15 pr. enhed pr. døgn.

Hvis man skal bo på B&B og vil være sikker på, at der er internetforbindelse, kan man man kontakte stedet på forhånd, men langt de fleste steder har gratis Wi-Fi. Skal man bo på Airbnb, er det igen en god ide at kontakte udlejer og sikre sig, hvis internetadgang er vigtig.

Kort og GPS

Det er en rigtig god ide at medbringe kort på et roadtrip, selv om man har også har gps. Kort er efter min mening langt bedre i forbindelse med planlægning af en hel tur eller en dagsrejse. Selvfølgelig kan man benytte sig af Google Maps eller lignende, men husk, at det kan bruge særdeles mange data, og der er ikke altid dækning i bjergene.

Til længere distancer benytter jeg mig typisk af Rand McNallys Road Atlas, som er glimrende, men ikke godt til detailplanlægning, for selv om nogle mindre veje er vist, er kortene slet ikke detaljerede nok, hvis man skal ud i det landlige WNC, og gerne vil se noget andet end hovedveje. Her kan man få meget bedre og langt mere detaljerede kort. Disse kan købes i boghandlere, supermarkeder og på nogle tankstationer, eller man kan købe dem på AAA kontorer. Der findes sådanne kontorer i Charlotte (uden for WNC) og i Asheville. Derud over kan man få (normalt gratis) kort på de velkomstcentre, der ligger ved de fleste interstates, kort efter at man har passeret statsgrænsen til North Carolina. Og hvis man på forhånd ved præcis, hvor man skal hen, kan man også købe kort på internettet, før man tager af sted.

En gps er dog rar at have. Man kan normalt leje en sådan, når man bestiller eller afhenter sin udlejningsbil, men man skal være opmærksom på, at det ofte er forholdsvis dyrt. På en kort tur er det til at leve med at betale $15 pr. dag for en gps, men man skal ikke være længe af sted, før det er billigere at købe en i et supermarked, et stormagasin eller en elektronikbutik. Her kan man få TomTom og Garmin gps'er (og andre mindre kendte mærker) for fra $80 og op, og billigere, hvis der er tilbud. Har man allerede en gps hjemme, kan man med fordel købe Nordamerikakort hjemmefra og installere disse på udstyret, inden man tager af sted. I dag har de fleste smartphones gps installeret, så det vil i mange tilfælde være tilstrækkeligt. Det kan dog være dyrt, hvis man skal betale for hele tiden at overføre kortdata til telefonen, så her vil det være en fordel, hvis man kan installere nødvendige kort på forhånd, så man ikke behøver at være forbundet, for at kunne navigere. Se også under Telefon på side 222.

Uanset om man har en dedikeret gps-enhed eller bruger sin telefon, kan man få nogle interessante og spændende oplevelser med det, jeg kalder "kør tilfældigt rundt" metoden. Sluk for gps og læg kortet væk. Når man når til en vej, der ser interesant ud, følger man den, til man kommer til en anden vej, der ser interessant ud og bliver så ved på den måde, så længe man lyster. Er der skilte til seværdigheder, kan man selvfølgelig køre efter dem, men det sjoveste efter min mening er bare at køre rundt i landskabet, og se, hvad man kan opleve. På den måde får man set ting, som man ellers ikke ville se, da man jo ikke kan køre bevidst efter oplevelser, som man slet ikke ved eksisterer. Når man skal tilbage til sit udgangspunkt eller videre til sit næste mål, tænder man sin gps igen, og indtaster den ønskede adresse. Man skal dog være opmærksom på, at der er steder i bjergene i WNC, hvor satellitdækningen af og til svigter på grund af terrænet. Man skal også være opmærksom på, at selv om gps'en måske ved præcis, hvor man er, er det ikke givet, at den kan vise et kort over netop det pågældende område. Jeg har fra tid til anden oplevet, at min gps vidste præcis, hvilken vej, jeg kørte på, men på kortet så det ud som om, jeg kørte rundt på en bar mark.

Kreditkort, kontanter og rabatter

"Money makes the world go around" sang Joel Grey og Liza Minelli i filmen Cabaret fra 1972, men i dag løser kreditkort også opgaven.

USA er kreditkortenes hjemland, og kreditkort kan bruges de fleste steder i landet, også i WNC. Hvis man ikke har et kreditkort, kan det være svært at få lov til at leje bil, i hvert fald hos de større selskaber. Uden et kreditkort skal man typisk også deponere et større kontantbeløb, når man tjekker ind på hoteller og moteller. Så medbring mindst ét, gerne to internationale kreditkort. De fleste steder accepterer man American Express og MasterCard, lidt færre accepterer Diners og Visa. Nogle mere lokale, europæiske kreditkort kan være helt ukendte i USA og derfor umulige at bruge. Hvis man har et dansk Visa/Dankort, kan det af og til give problemer ved leje af bil, da kortet vil fungere som et debetkort på trods af Visa logoet, og så kan der ikke reserveres penge på det, på samme måde som på et kreditkort. Der er dog nogen selskaber, som accepterer det, men langt fra alle, så medbring for en sikkerheds skyld et ekstra "rigtigt" kreditkort. Har man et kreditkort, der er spærret for betalinger fra udlandet, skal man huske at åbne for Nordamerika, inden man begynder at bruge kortet.

Det meste af WNC ligger i landlige områder, men man kan alligevel bruge kreditkort de fleste steder, som omtalt overnfor. Man kan dog møde steder, hvor det ikke er muligt. Det kan være på små restauranter, i nogle butikker i små, afsides beliggende landsbyer, boder ved landevejen eller ved lokale attraktioner, og jeg er en enkelt gang blevet afvist på en benzintank, men det er dog flere år siden. Under alle omstændigheder er det en god ide at medbringe i hvert fald nogen kontanter, da der også kan være andre situationer, hvor man skal bruge kontanter, så det kan være nyttigt altid at have et mindre beløb på sig. Man kan altid hæve kontanter i pengeautomater (ATM – Automatic Teller Machine), som findes i mange butikker, på de fleste tankstationer, på hoteller og så videre, men kortudstederen vil typisk opkræve et gebyr for kontanthævninger, og i nogle tilfælde vil også den amerikanske bank, der håndterer transaktionen, pålægge et gebyr, og sågar kan også det sted, hvor automaten er opstillet, opkræve et gebyr, så hvis man har brug for kontanter, kan det ikke betale sig at hæve mange små beløb, hellere færre, men større. Hvis man er bange for at gå rundt med for mange kontanter, er der typisk pengeskab til rådighed på de fleste hoteller/moteller. Når man skal hæve penge eller betale i butikker eller lignende med kreditkortet, bør man altid, hvis man bliver spurgt, vælge at afregne i dollars, da den kurs man får, når der omregnes "hjemme" i banken, typisk vil være bedre end den, kreditkortselskabet omregner til, hvis man vælger at afregne i danske kroner.

Ud over at være kreditkortenes er USA også rabatkuponernes land. Man kan finde rabatkuponer til næsten alt fra hoteller og restauranter til fødevare- og stort set alle andre butikker; det er bare at lede efter dem på netop hoteller, på lokale visitor- eller velkomstcentre og andre steder. Man kan sågar udskrive rabatkuponer fra internettet, inden man tager af sted, og der findes en "hotelrabatkupon" app til både Android og iPhone! Og selv uden kuponer er der andre måder at opnå rabatter på. Fx gives der typisk rabat på entreer til børn og seniorer (som kan være ældre end 60, 62 eller 65 afhængigt af stedet), rabat til medlemmer af de væbnede styrker (ikke så interessant for udlændinge – selv om jeg engang er kommet ind som "veteran"; se side 100).

Et medlemskab af automobilorganisationen AAA eller en europæisk søsterorganisation, som fx FDM, giver ofte også anledning til rabat, eller man kan simpelthen give sig til at forhandle om prisen. Jeg husker et tilfælde, hvor jeg og min voksne søn kom til et hotel, hvor der kun var ét ledigt værelse, og dette var udstyret med en enkelt queensize seng. Jeg elsker min søn, men ikke nok til at dele seng med ham, og det måtte jeg så forklare receptionisten. Hun kunne i stedet tilbyde en suite med to soveværelser med hver sin seng. Prisen for værelset var $120, mens prisen for suiten var $260, hvilket jeg fandt en del i overkanten. Receptionisten begyndte så at stille mig spørgsmål om, hvorvidt jeg var senior (hvilket jeg ikke var på det tidspunkt), om jeg var medlem af denne eller hin organisation, hvilket jeg også måtte afkræfte. Til sidst var damen ved at opgive sit ellers velmente forsøg på at hjælpe mig til en billigere pris, da jeg fandt et eller andet medlemskort til en eller anden dansk forening frem; jeg husker ikke længere hvilket kort, det var, men damen kastede bare et kort blik på det, og sagde "Close enough", og så fik vi suiten for $145!

For øvrigt vil jeg anbefale, at man laver et rejsebudget, før man tager af sted, om ikke af andre grunde så for at kunne måle hvor meget man har brugt mere end budgetteret ☺. Med mindre man selvfølgelig har penge nok, og forbruget ikke er et problem. Man ender hurtigt med at bruge mange penge uden egentlig at lægge mærke til det. I det mindste ikke før man får opgørelsen fra banken.

Leje af bil

Man kan leje bil gennem mange forskellige biludlejningsselskaber, og såvel rejsebureauer som luftfartsselskaber kan være behælpelige, og man kan selvfølgelig bestille bil selv direkte hos udlejningsselskaberne – eller man kan bare vente, til man står i lufthavnen i USA, og så finde et selskab der. Selv benytter jeg mig normalt af mit medlemskab af FDM og lader dem stå for billejen (mens jeg booker resten af rejsen selv). Grunden til, at jeg bruger FDM er, at jeg så kan være forholdsvis sikker på, at jeg ikke kommer til at betale for overflødige forsikringer, som jeg måske allerede har i min rejseforsikring eller i andre hjemlige forsikringer. Mange udlejningsselskaber vil gerne sælge ekstra forsikringer ved afhentning af bilen, men det kan man roligt sige nej til, hvis man allerede har de nødvendige. En anden grund til, at jeg bruger FDM, er, at man ofte får rabat på den afgift, som de fleste udlejningsselskaber opkræver, hvis man lejer bilen et sted, og vil aflevere den et andet. Jeg har alene på den konto sparet op til $500 på en enkelt tur.

Bruger jeg ikke FDM, vælger jeg altid et af de store internationale selskaber, som fx Avis, der dels har kontor i Danmark, dels har kontorer mange steder i USA (selv om de er forholdsvis sparsomme i WNC), Det betyder, at man sjældent er langt fra et kontor, hvis man får brug for assistance. Jeg satser også på, at de store selskaber ikke krakker så nemt som de mindre, for selv om covid-19 pandemien har vist noget andet, er det jo forhåbentlig ikke hverdag.

Ved billeje bør man sikre sig, at "fri kilometer" (free mileage) er inkluderet i lejen, hvilket det heldigvis normalt er; men hvis det ikke er tilfældet, kan det hurtigt blive særdeles dyrt, hvis man skal køre langt. Vær opmærksom på, at det kan være vanskeligt at leje bil, hvis man er under 25. En del selskaber tilbyder dette i dag, men beregner sig ofte et velvoksent tillæg. Er man under 21, er det mod USA's politik, at man kan leje en bil, men der er undtagelser for visse udlejningsselskaber, som må tilbyde udlejning til 20-årige, men ikke derunder. I to stater, New York og Michigan (som typisk ikke er interessante, hvis man vil besøge WNC), kan man leje bil ned til 18 år. Man skal også huske at fortælle, om andre end én selv skal køre bilen, da alle chauffører skal fremvise gyldigt kørekort ved afhentning. De fleste steder, jeg lejer, er to chauffører inkluderet i prisen, mens man ofte skal betale ekstra for yderligere chauffører, og der er selskaber, som simpelthen ikke tillader flere end tre chauffører. Hvis en person, der ikke er registreret som fører, alligevel kører bilen, og der sker et uheld, vil forsikringerne typisk ikke dække, selv om føreren har et gyldigt kørekort.

Apropos kørekort, så vil det i al almindelighed være nok at medbringe sit danske kørekort, når man skal afhente bilen, og det godkendes normalt også af politi og andre myndigheder (evt. i kombination med pas). For at være på den sikre side, kan man dog vælge at medbringe et internationalt kørekort, som kan bestilles via borger.dk. Hvis du har planer om at lade din tur til WNC omfatte en afstikker til Georgia, **skal** du have et internationalt kørekort med, idet Georgia kun anerkender kørekort med engelsk tekst. Ud over kørekort, skal den der lejer bilen også vise et gyldigt kreditkort, da der typisk bliver reserveret et beløb på dette til "uforudsete udgifter". Jeg har dog aldrig oplevet sådanne, og så bliver beløbet ikke trukket på kontoen. Jeg har to gange været udsat for, at selskabet også ville se kreditkort fra mine medchauffører, men de registrerede dog ikke disse.

Vær også opmærksom på, at når man har udfyldt de relevante papirer på afhentningstedet, vil man få udleveret nøglen til bilen og få at vide, hvor denne står (af og til sidder nøglen allerede i bilen), og så er man overladt til sig selv. Der vil ikke blive givet en introduktion til bilen, så man må selv finde ud af det hele, hvilket normalt ikke er vanskeligt, da biler i USA stort fungerer på samme måde som biler i Danmark, men udlejningsbiler er sjældent udstyret med en instruktionsbog, så der er ting, som kan være lidt besværlige. Det vigtigste er formodentlig at finde ud af, hvordan man tænder og slukker for lyset i en given bilmodel og om den har automatisk lygtetænding/kørelys, men der kan også være andre udfordringer, fx i forbindelse med fartpilot, korrekt dæktryk, hvad advarselslamperne betyder, og hvilket oktantal benzin man skal bruge.

Som nævnt ovenfor skal man ofte betale et ekstra gebyr, hvis man vil aflevere bilen et andet sted end der, hvor man afhenter den. Dette gebyr er normalt afhængig afstanden mellem afhentnings- og afleveringssted, og kan være betragteligt, op til $1.000 eller mere. Nogle udlejningsselskaber opkræver ikke afgift, hvis afhentning og aflevering sker i samme stat, og der er faktisk selskaber, der heller ikke opkræver afgift, hvis man kører fra kyst til kyst, men det er ikke almindeligt. Vær opmærksom på, at det kan være svært eller umuligt at leje "sjove" biler, som fx Ford Mustang Convertible eller tilsvarende, hvis man vil aflevere bilen i en anden stat.

Jeg vil anbefale, at man lejer en forholdsvis stor bil. Selv lejer jeg normalt en såkaldt "full size". Det er kun lidt dyrere end "standard size", og da moderne amerikanske biler har en langt bedre benzinøkonomi end for bare nogle få år siden (14-16 km pr. liter eller mere, er ikke ualmindeligt selv i en full size), er

det heller ikke meget dyrere i benzin. En større bil er mere behagelig på lang-
ture, og der er bedre plads på bagsædet, hvis man har børn eller andre passagerer
med. Og så er der plads til mere i bagagerummet. Efter min mening har mange
amerikanske biler ret små bagagerum i forhold til deres størrelse, så skal man
have plads til tre eller fire kufferter foruden tasker mm., kan det hurtigt komme
til at knibe – og det gælder også selv om man lejer en SUV for at få plads til
passagererne.

Det er også rart, hvis der i bagagerummet er plads til en køleboks. En sådan er
noget af det første jeg køber, når jeg kommer til USA og skal være der længere
end nogle få dage. Man drikker en del vand, når man kører (i hvert fald BØR
man drikke en del vand), og skal man ud på en vandretur om sommeren, skal
man i hvert fald medbringe rigeligt med vand. Man kan købe koldt vand på
flasker på tankstationer, men det meget billigere at købe vand i supermarkeder
som fx Walmart, Food Lion, Ingles eller på "apoteker" som CVS, RiteAid eller
Walgreens, og så selv køle dem i sin køleboks. Her kan man i bedste fald få 20,
24 eller 32 halvlitersflasker for mellem $3 og $7, hvor man på en tankstation
ofte giver over en dollar for 0,5 liter[18]. En køleboks kan anskaffes fra mellem
15 og 30 dollars afhængig af størrelse og kvalitet, så man har formodentlig råd
til at give den til nogen, inden man skal hjem eller evt. efterlade den på udlej-
ningskontoret ved aflevering, så nogle andre kan få glæde af den. Is til boksen
kan købes i supermarkeder, på apoteker og de fleste tankstationer for nogle få
dollars.

De fleste udlejningsbiler i USA har automatgear, hvilket man måske lige skal
vænne sig til, hvis man ikke er har prøvet det før. Det vigtigste er at huske, at
venstre fod er overflødig, og aldrig skal bruges, når man kører. Faktisk har jeg
oplevet, at det har været vanskeligere at komme hjem til et manuelt gear, og
skulle huske at træde på koblingen, når man skal skifte gear. En bil med auto-
matgear vil normal have følgende positioner: P(arkering), N(eutral - frigear),
R(everse - bakgear) og D(rive - fremad). Nogle biler har også positionerne 1, 2
og måske endda 3, som alle er lave gear, når man vil bruge motoren som bremse

---

[18] Bedre for miljøet er det er det selvfølgelig at medbringe nogle genfyldelige flasker,
og så fylde dem op med vand på hoteller, rastepladser e.l. Og man kan stadig holde
dem kolde i en køleboks.

på vej ned ad stejle bakker. I WNC har jeg aldrig haft brug for nogen af disse positioner. Husk at sætte bilen i P, når den forlades. I mange (men ikke alle) biler kan man simpelthen ikke fjerne nøglen, hvis bilen ikke står i P, og på samme måde kan man heller ikke starte bilen med gearvælgeren i andre positioner.

Fartpilot (cruise control) er standard i de fleste udlejningsbiler i USA, som det også er ved at blive mere og mere almindeligt i Danmark. Nogle vænner sig aldrig til at bruge fartpiloten, mens andre, som jeg selv, nyder det, ikke mindst på lange motorvejsstrækninger. Når man kører på smalle, snoede veje eller i tæt trafik, kan det ikke anbefales. Man skal være opmærksom på, især hvis man kører på en firesporsvej, at også de store lastbiler kører med fartpilot, og de har samme hastighedsgrænse som personbiler, med mindre noget andet er specificeret. Dette kan resultere i såkaldte "elefantoverhalinger". Hvis to lastbiler begge har indstillet deres fartpilot til 65 miles, men den ene reelt kun kører 64 og den anden 66 miles i timen, kan det tage en rum tid for den hurtigste at overhale, og måske skal den overhale to eller flere forankørende. Ved en enkelt lejlighed kom jeg til at køre bag ved en sådan lastbil, der skulle overhale fire andre lastbiler. Den procedure brugte den 20 miles og 30 minutter til. Og lad være med at bruge hornet. I bedste fald vil det ikke have effekt, i værste kan det få lastbilerne til at sætte farten ned, bare for at irritere.

Endnu en ting, som i dag findes i næsten alle udlejningsbiler, er Bluetooth. Det gør det nemt at høre musik, man har medbragt på telefon eller andet elektronisk udstyr, og samtidigt gør Bluetooth det muligt, at bruge sin telefon håndfrit. Se mere om brug af håndholdte telefoner under Færdselsregler og kørsel på side 202. Har man små børn med, kan man leje et barnesæde eller en siddepude, hvis man ikke selv medbragt sådanne.

Medicin

Hvis man bruger receptpligtig medicin skal man medbringe så meget, at det kan strække til hele turen. Man bør altid medbringe receptpligtig medicin i håndbagagen, i tilfælde af at indtjekket bagage forsvinder undervejs. Medicin, der ikke er på recept, kan man medbringe i sine kufferter, eller man kan købe det undervejs, skulle behov opstå. Noget medicin, der er på recept i Europa, er receptfrit i USA, men jeg ville personligt ikke forlade mig på det. Hvis man løber tør for receptpligtig medicin, kan det bleve en dyr omgang. Man skal opsøge en læge, som måske, måske ikke vil udskrive recepten til en, eller man kan kontakte sin hjemlige læge, som kan sende en recept på engelsk, som en amerikansk læge så kan omsætte til en lokal recept, men det er bestemt ikke gratis, og jeg har endnu tilgode at se en rejseforikring, som dækker medicin til eksisterende sygdomme, som man var medicineret for, men hvor man simpelthen har glemt medicinen hjemme.

Vær også opmærksom på, at receptpligtig medicin, selv om det er til en akut opstået sygdom, kan være en dyr omgang. I afsnittet om forsikring omtalte jeg et tilfælde, hvor min datter blev syg, og her skulle vi have nogle piller hvis hun skulle blive syg igen, hvad hun heldgvis ikke gjorde. Otte af disse piller kostede den nette sum af 1.500 kr., hvor 12 piller af præcis samme fabrikat og med samme indhold, kunne fås for 57 kr. i Danmark.

Afhængig af hvilken type medicin man skal have med, kan det være nødvendigt at medbringe et medicinpas. Her bør man kontakte den amerikanske ambassade for at få oplyst om et medicinpas er nødvendigt for netop den type medicin, man har brug for at medbringe, hvilket stort set altid er tilfældet, hvis medicinen indeholder euforiserende stoffer. Ambassaden kan også hjælpe med at forklare, hvilke informationer, der skal stå på passet.

Når man er fremme, kan det være en god ide at købe solbeskyttelse, hvis man ikke har medbragt, og vær opmærksom på, at ikke al solcreme, købt i Danmark, er ideelt til det ofte meget fugtige klima i WNC. Også noget, der afskrækker insekter, kan være en en god ide, især om sommeren og efteråret, så man undgår at blive angrebet af myg og andre stikkende eller bidende "uhyrer" – og så noget mod kløe, hvis der er nogen af de små fjolser, der ikke forstår budskabet om at holde sig væk.

"Moms" og andre afgifter
I Danmark og de fleste andre steder i Europa er vi vant til, at en vare eller tjenesteydelse koster den pris, der er opgivet på prisskilte eller menukort mm., men sådan er det ikke i USA. Her opgiver man nettoprisen, både i butikker, på hoteller og restauranter, og først ved betalingen lægges forskellige skatter og afgifter på beløbet, så ind i mellem kan man godt blive overrasket, når beløbet

bliver nævnt, og man ellers troede, at man havde styr på prisen for sit indkøb. VAT (Value Added Tax), der svarer til vores moms, bruges ikke i USA Til gengæld har de så andre skatter, der tillægges.

Først og fremmest er der en såkaldt statssalgsskat, som tillægges. Denne er her i 2020 knap 5% i North Carolina. Dertil kommer så lokale salgsskatter, som skal lægges oveni. Disse varierer fra amt til amt, men i modsætning til andre stater tillægges der ikke "byskatter" oven i amtsskatterne, så i gennemsnit betaler man 2,2% i lokale skatter i North Carolina og samlet er salgsskatterne i staten omkring 7%. Heldigvis ligger statens dyreste amt uden for WNC ☺. De varierende lokale skatter betyder, at en del amerikanere kører ud af deres lokalområde og til et billigere sted, for at handle. Nogle stater har hverken stats- eller lokale salgsskatter (Delaware reklamerer fx på deres velkomstskilte med teksten "Home of Tax-Free Shopping"), men man undgår dem altså ikke i North Carolina. I nogle få stater kan man få disse skatter refunderet, hvis man fører købte varer ud af USA, men desværre ikke i North Carolina.

Når man bor på hoteller, moteller, B&B osv. tillægges yderligere en hotelskat, den såkaldte "occupancy tax", som også varierer fra amt til amt, men som typisk udgør omkring 6-7%, så den samlede skat, der tillægges for ophold, vil være omkring 13-14%, så et værelse, der annonceres til $135 altså kommer til at koste lidt over $150[19].

Måleenheder

Som et af de få lande i verden anvender USA ikke det metriske system, og selv om de ved lejlighed har forsøgt at indføre det, er det aldrig blevet en succes. Derfor anvendes fortsat det såkaldte "imperial system", som i sin tid blev indført af Storbritannien, da de havde kolonier i Nordamerika.

Det betyder at afstande på motor- og andre veje angives i miles og brøkdele af miles. Nogle få stater angiver distancer på motorveje både i miles og kilometer, men North Carolina er ikke en af dem. Kortere afstande eller længdemål opgives i fod eller tommer, sjældnere i yards. En mile er 1.602 meter eller ca. 1,6

---

[19] En del B&B opgiver faktisk den samlede pris inklusive skatter og afgifter, men det er langt fra alle.

km. En tomme er 2,54 cm og en fod er 12 tommer eller 30,48 cm. En yard er tre fod eller 91,44 cm. Fod indikeres med ' og tommer med ", så to fod og tre tommer, skrives som 2'3".

Arealer opgives i square feet, square miles eller i acres. 1 m² svarer til knap 11 square feet, 1 km² svarer til knap 0,4 square miles og omvendt svarer en square mile til ca 2,6 km². 1 acre svarer til godt 0,4 hektar eller noget mindre end det gamle danske mål, en tønde land, der svarer til 0,55 hektar.

Vægt opgives typisk i pounds eller ounces. Et pound svarer ca. til 450 gram, og en ounce er en sekstendedel af et pund eller lige omkring 28 gram. Så hvis man bestiller en 12 ounce bøf, får man et stykke kød på knap 350 g – men det er dog muligt at bestille mindre bøffer ☺.

Væsker kan måles i "fluid ounces". En fluid ounce er omkring 29,5 milliliter. En liter svarer til 33,8 fluid ounces. Benzin og andre væsker, der sælges i større mængder, måles typisk i gallons. En gallon svarer til 3,78 liter. En "quart" svarer til en kvart gallon eller 0,95 liter og en pint er 0,47 liter. Der findes også "ikke-flydende gallons", men dem vil jeg ikke komme nærmere ind på.

Temperaturer måles normalt i grader Fahrenheit. Har man en lommeregner eller en omregningsapp til sin smartphone, er det ikke svært at omregne til celsius, men det kan være lidt vanskeligere som hurtig hovedregning. 100 grader celsius svarer til 212 grader Fahrenheit og 100 grader Fahrenheit svarer til 37,7 grader celsius. For at omregne fra Fahrenheit til Celsius tager man værdien i Fahrenheit, trækker 32 fra, dividerer resultatet med 9 og gange med 5. Skal man regne den anden vej tager man temperaturen i Celsius og dividerer med 5, ganger resultatet med 9 og lægger 32 til. Sådan; piece of cake! Hvis man ikke er interesseret i en præcis omregning, kan følgende tilnærmede metode bruges. Træk 30 fra temperaturen i Fahrenheit og divider med 2. Så har man en omtrentlig temperatur i Celsius – omvendt hvis man skal regne den anden vej, Fx vil 95 grader Fahrenheit, omregnet efter denne metode, give en temperatur på 32,5 grader, hvor den reelle temperatur er 35 grader, men det vil typisk være tæt nok på, til at man får en fornemmelse af om det er koldt eller varmt. Jo tættere man kommer på 10 grader Celsius, jo mere præcis bliver beregningen, da 10 grader

Celsius svarer præcis til 50 grader Fahrenheit, hvad også den tilnærmede værdi vil være. Bliver temperaturen lavere stiger forskellen igen.

Den eneste temperatur, der er ens på de to skalaer er -40, som omregnes til det samme tal. Her vil den tilnærmede metode have en afvigelse på fem grader, men det er stadig koldt! Heldigvis kan man både til Android-telefoner og iPhones hente apps, der kan klare omregningen, men ofte er det hurtigere at gøre det i hovedet alligevel.

Og husk, at når man skriver tal i USA, bruger man punktum som decimaladskiller og komma mellem tusinderne, og ikke omvendt som hos os. Fx 12,345.67.

Pas, ESTA og visum

Hvis man skal rejse til USA, skal man naturligvis have et gyldigt pas. Passet skal være maskinlæsbart, et såkaldt e-pas udstyret med en chip, som indeholder biometriske data så som fingeraftryk. Det er tilfældet for alle danske pas, men hvis man er udenlandsk statsborger, bør man kontakte sin ambassade eller konsulat. Passet skal være gyldigt i mindst seks måneder efter den dato, hvor man forlader USA igen. Desuden skal man være i besiddelse af en gyldig returbillet, eller en billet til et andet land uden for USA.

Børn skal have deres eget pas; det er ikke nok at de er indskrevet i forældrenes. Hvis børn rejser med kun en af deres forældre, skal barnet medbringe et dokument, underskrevet af den anden forælder, om at han eller hun accepterer rejsen. Hvis børn rejser med bedsteforældre, andre familiemedlemmer eller med en gruppe, fx en idrætsforening, skoleklasse eller lignende, skal begge forældre have underskrevet tilladelsen.

Dokumentet skal have en ordlyd i stil med nedenstående:

> "*I hereby acknowledge that my wife/husband/etc. is traveling out of the country with my son/daughter. He/She/They has/have my permission.*"

Før man forlader Danmark, skal man sikre sig, at man har et gyldigt visum eller en rejseautorisation, ofte kaldet en ESTA. Hvis man er dansk statsborger eller er statsborger i et andet land, der er en del af USA's Visa Waiver Program, behøver man ikke visum, med mindre man skal opholde sig i USA i mere end 90 dage; men man skal have rejseautorisationen. ESTA står for Electronic System for Travel Authorization, og er et system, hvor man online kan søge om tilladelse til at rejse til USA. Systemet administreres af US Customs and Border Protection (CBP) under Department of Homeland Security. Man skal søge senest 72 timer inden afrejse, men jeg vil anbefale, at man søger noget tidligere i tilfælde af at man ikke får ESTA tilladelsen, og man derfor bliver nødt til at søge om visum gennem den lokale amerikanske ambassade. At ansøge om ESTA koster $4, og bevilges tilladelsen, koster det yderligere $10. Hvis man ikke får tilladelsen, skal man kun betale de fire dollars, som myndighederne beregner sig for at håndtere ansøgningen. Man kan kun betale med kreditkort, og der accepteres følgende: MasterCard, Visa, American Express og Discover, men ikke fx Maestro eller Diners.

Man skal være opmærksom på, at en godkendt tilladelse ikke betyder, at man kan rejse ind i USA; kun at man kan rejse dertil. Det er altid immigrationsmyndighederne på indrejsestedet, der afgør om man faktisk får lov til at rejse ind. Der er (heldigvis kun få) eksempler på danskere med godkendt ESTA, som er blevet afvist indrejse i lufthavne i USA, og myndighederne behøver ikke at forklare eller retfærdiggøre afslaget. I forbindelse med ansøgningen skal man opgive en del informationer, så som navn, forældres navne, fødselsdag, pasnummer, beskæftigelse, nationalitet, kontaktperson i USA mm., og man skal opgive adressen på det første overnatningssted, hvilket er lidt mærkeligt, da en ESTA gælder i to år, og der er jo ingen garanti for, at man skal bo samme sted ved et senere besøg. Hvis jeg skal på roadtrip, booker jeg ofte det første hotel på forhånd, og som kontaktperson har jeg anført mennesker, jeg kender i landet eller værter på B&B, jeg skal bo på. Hver person, også børn, skal have sin egen ESTA, som altså skal betales separat.

Man kan ikke få en ESTA tilladelse, hvis man ikke har en ren straffeattest, hvis man tidligere er blevet nægtet visum, eller hvis man har besøgt Irak, Libyen, Somalia, Sudan, Syrien eller Yemen efter 1. marts 2011. Desuden er der flere andre grunde til at ESTA kan blive afvist. Disse kan findes på ambassadens hjemmeside eller hos CBP.

NB! Vær opmærksom på svindel! Selv om det ikke er helt så udbredt som det var for bare få år siden, er der stadig hjemmesider på internettet, der tilbyder at hjælpe med ansøgningen om ESTA. Disse snyder ikke som sådan, da man får sin ESTA (godkendt eller afvist), men de opkræver typisk langt mere end de $14, der koster på CBP's officielle hjemmeside. Jeg har hørt om beløb på op til $100 pr. ESTA, og ansøgningen bliver ikke nemmere., da man skal opgive præcis de samme informationer som på den officielle hjemmeside, så jeg anbefaler at man kun bruger denne. Man kan typisk finde adressen på ambassadens hjemmeside, men jeg har også opgivet adressen i adressesektionen i denne guide.

Hvis man ikke er statsborger i et land, der er medlem af Visa Waiver programmet, hvis man skal blive i USA i mere end 90 dage, eller man ved, at man ikke kan få ESTA på grund af én eller flere af ovennævnte årsager, skal man søge om visum gennem den amerikanske ambassade. Da reglerne er forskellige afhængigt af, hvor man er statsborger, vil jeg foreslå, at man kontakter ambassaden i god tid, da det kan tage den del tid at behandle ansøgningen.

Planlægning og arrangering af turen

Planlægning af turen er halvdelen af fornøjelsen, i hvert fald for mig. Jeg elsker at bruge tid på internettet og med at læse rejsebøger fra det område eller de områder, jeg skal besøge, også selv om det Western North Carolina, hvor jeg har været så mange gange. Jeg lærer altid noget nyt og finder nye steder, at besøge og nye seværdigheder at opleve. Og jeg holder at se på forskellige muligheder for indkvartering og måske opdage nye kroer og B&B steder, nye restauranter at spise på og så videre, men jeg planlægger aldrig alt, da der skal være plads til spontane indfald.

Hvis man er interesseret i at besøge WNC, er det forholdsvist nemt at arrangere rejsen selv ved hjælp af internettet. Hvis man vil være sikker på ikke at miste penge, hvis et luftfartsselskab eller et hotel skulle gå fallit efter at man har betalt, kan man bede et rejsebureau om at arrangere det for en. Mange rejsebureauer tilrettelægger gerne en rejse fuldstændig efter ønske, og når man har købt en sådan pakkerejse, vil Rejsegarantifonden, dække et eventuelt tab i tilfælde af betalingsstandsninger og lignende.

Normalt bestiller jeg dog det hele selv, og tager chancen for at alle "overlever". For at sikre dette bruger jeg typisk nogle af de store luftfartsselskaber, så som American Airlines, SAS, British Arlines, KLM, Lufthansa, Air France og tilvarende, selv man kan få billigere billetter hos Norwegian, Ryan Air, Delta og andre. Og det samme gælder, når jeg bestiller bil, se også side 193. Dette gælder natuligvis ikke kun, når jeg skal til WNC, men for alle mine USA rejser uanset rejsemål.

Påklædning

Med mindre man skal til en gallafest, er der ingen gund til at medbringe kjolesættet, smokingen eller aftenkjolerne til et besøg i WNC. Selv jakkesæt og slips er sjældent nødvendigt, med mindre at man besøger virkeligt fine restauranter, og så mange af dem er der ikke. Ingen af de restauranter eller hoteller, jeg har nævnt her i guiden har dresscode selv om bare tæer i klipklappere eller shorts og ærmeløs undertrøje ikke er velset ret mange steder. På den anden side har jeg faktisk besøgt de fleste af stederne i T-shirt, shorts og sandaler – mest til frokost, men af og til også til aften. På en enkelt restaurant sad et skilt: "*Vi serverer ikke for mænd uden skjorte eller T-shirt. Kvinder uden skjorte eller T-shirt betaler halv pris.*" Den var nok ikke gået i Danmark.

Udendørs påklædning afhænger naturligvis af årstiden. Sent forår, sommer og tidligt efterår er sommertøj fint. Shorts- T-shirt og sandaler til varme dage, og en sweater eller sweatshirt kan klare de køligere, som der ikke er mange af. Hvis man skal på vandring vil et par gode vandresko eller i det mindste et par trekkingsandaler være en god ide. Vandrestøvler er næppe nødvendige, med mindre man skal ud på virkeligt lange vandreture i bjergene. Vandrestøvler fylder meget i bagagen, og de kan være svære at få tørre, hvis man skal krydse vandløb, eller hvis de er blevet våde under et kraftigt regnskyl.

Som omtalt i kapitlet Klima og vejr på side 20, skal man være forberedt på lidt af hvert i området og en windbreaker samt tøj, der er vandtæt, kan være rart. Men sørg for at kroppen kan ånde i tøjet. Selv om det styrter ned, kan temperaturen på en sommerdag godt være 30 grader eller mere. Af og til er det faktisk bedre at blive våd, da tøjet hurtigt tørrer, når regnen stopper.

Medbring altid en eller anden form for hovedbeklædning; bedst en bredskygget, men luftig hat, se fx billedet på side 257 (eller til nød en baseball cap), for at undgå hedeslag. For ligeledes at beskytte mod solskoldning, kan lange bukser og langærmede skjorter/bluser være en fordel. Og medbring solcreme med en fornuftig faktor, 20 eller 30 (højere hvis man let bliver forbrændt). Og husk masser af vand, hvis man skal vandre.

Sent efterår, vinter og tidligt forår er langærmede bluser og skjorter om ikke et krav, så i hvert fald en god ide. En varm, foret windbreaker og måske en fleecetrøje til at have på under windbreakeren er godt på kolde dage, og er det varmere, kan man måske nøjes med at have en af delene på. Skal man stå på ski er skitøj og skistøvler selvfølgelig nødvendige, men både ski, støvler og ofte også skitøj kan lejes på skisportsstederne i WNC. Uanset om man skal på ski eller ej, er varme vanter/handsker og en eller anden form for varm hovedbeklædning rart på en vindblæst bjergtop om vinteren. Selv medbringer jeg normalt en ulden hue og forede handsker foruden min bredskyggede hat, som jeg også har med om vinteren. Og uanset årstiden er det en god ide at medbringe solbriller.

Pak ikke for meget[20]. Der er grænser for, hvad man kan medbringe i et fly, både når det gælder vægt og antal stykker baggage (selvom man kan betale sig til mere). Hvor meget, man må have med, afhænger typisk af, hvilken klasse, man flyver på, og så det luftfartsselskab man flyver med. Passagerer, som flyver på First eller Business Class må typisk have mere bagage end passagerer på Økonomiklasse. Og nogle billigselskaber forlanger betaling for såvel indtjekket bagage som håndbagage. Vær også opmærksom på, at man ofte har mere med hjem end man havde på vej ud. Mange mennesker, jeg selv inklusive, køber ting, de gerne vil have med hjem, fx tøj eller souvenirs. For mit eget vedkommende er det oftest bøger og/eller vin. Overvægt kan være dyrt, men nogen selskaber tilbyder en lavere pris, hvis man betaler overvægt på forhånd, så det er en god ide at tjekke taksterne hos det selskab, man skal flyve med. Jeg medbringer derfor altid en bagagevægt, så jeg kan kontrollere vægten inden jeg tager til lufthavnen.

---

[20] En af mine gode bekendte, der som rejsefotograf rejste mange dage hvert år, forklarede: *"Find alt det frem, som du mener, du absolut ikke kan undvære og læg det på et bord. Læg så halvdelen på plads igen, og tilsidst pakker du så kun halvdelen af det, der ligger tilbage."*

Normalt pakker jeg selv kun tøj til syv til otte dage, uanset, hvor længe, jeg skal være væk. Det er altid muligt at få vasket tøj, enten på hoteller, moteller eller i møntvaskerier.

Religion

Western North Carolina ligger i det såkaldte "Bibelbælte", og det betyder, at mange mennesker tilhører og er aktive medlemmer af en religiøs, oftest kristen, trosretning, og mange går meget op i deres religion, går i kirke og ikke kun om søndagen, deltager i trossamfundets velgørende og andre aktiviteter og så videre. Der findes mange forskellige kristne kirkesamfund i WNC; baptister og metodister dominerer, men også presbyterianere, lutheranere, katolikker, kvækere, herrnhuter, medlemmer af pinsebevægelsen samt flere andre, og op mod 85 % af befolkningen tilkendegiver i undersøgelser, at religion er vigtig for dem. Det betyder også, at der er mange kirkebygninger i området. Fx er der 124 kirkebygninger i Ashe County, 65 i McDowell County, 89 i Catawba County, i Wilkes County er der 170, i Buncombe County 165 og så fremdeles.

Og religionen dyrkes ikke kun i kirken. Det er helt almindeligt, hvis man bliver inviteret til middag i private hjem, at der bedes bordbøn inden måltidet, og jeg har – dog kun ved sjældne lejligheder – set mennesker, der har bedt bordbøn på restauranter.

Shopping

Hvis man tager til USA for at shoppe, er Western North Carolina nok ikke det mest åbenlyse rejsemål. Så er storbyer som Chicago, New Orleans, New York City, Las Vegas, Los Angeles, San Francisco eller bare Charlotte (se side 39) mere relevante. Men selvfølgelig er der shoppingmuligheder i WNC, bare ikke så mange. Jeg er ikke selv en dedikeret shopper, så det er ikke det, jeg bruger mest tid på, og derfor ved jeg ikke så meget om det, men her er et par outlets, hvor man kan få det hele til det halve eller noget i den stil.

- I Blowing Rock i Caldwell County, ligger et Tanger Outlet Mall med butikker som Loft, Banana Republic, Dressbarn, Gap, Polo by Ralph Lauren, White House Black Market og flere andre.

- I Asheville i Buncombe County finder man Asheville Outlets med butikker som Abercrombie & Fitch, Ann Taylor, Asics, Coach of New York, Levi's, Tommy Hilfiger, Pandora, plus flere af de, der også findes i Blowing Rock foruden adskillige andre.

De fleste byer af en vis størrelse har indkøbscentre og forskellige super- og megabutikker så som Walmart, Kmart, Target og andre, som sælger fødevarer, tøj, elektronik mm.

Telefon

I dag tager de næsten alle deres mobiltelefon med på ferie, og den vil virke de fleste steder i WNC, selv om der er områder, hvor dækningen er ringe eller ikke eksisterende afhængigt af hvilket teleselskab, man har sit abonnement hos. Det kan være dyrt at ringe fra USA og ikke mindre dyrt at overføre data, så jeg vil anbefale, at man kontakter sit teleselskab for at undersøge prisen og måske få sat en begrænsning på datamængden, hvis man ikke har abonnement hos et selskab, som tilbyder samme vilkår i USA som i Denmark og EU. I givet fald kan det være en fordel kun at overføre data, når man er på et sted, hvor man kan komme på interenettet via Wi-Fi – og så skal man måske slå baggrundsopdateringer af aps fra, og så opdatere manuelt.

Når man har Wi-Fi adgang, vil det være gratis at bruge tjenester som Skype, WhatsApp, HangOuts, Facetime, Meet og lignende, og det kan spare en for en del penge på telefonregningen, hvis man afregner pr. minut.

Underholdning

Har man børn med på turen, kan det være en god idé at have en form for underholdning med til dem. Selv på de forholdsvis korte ture man typisk kører i WNC, kan det hurtigt blive kedeligt for børn, hvis det eneste de kan foretage sig, er at se ud af sideruderne.

Ha' en god tur –
og nyd Western North Carolina

Husk, at diesel ofte (men ikke altid) har grønne håndtag, mens benzin har sorte og at oktantallene ser meget lavere ud end i Danmark. Til gengæld har selv små tankstationer er pænt udvalg af vand, chips mm.

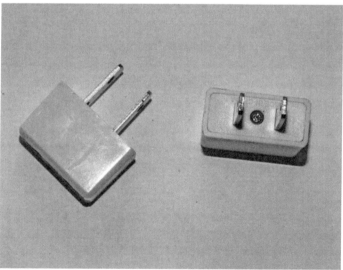

Adaptere til amerikanske stikkontakter med to parallelle, flade ben. Tag også en forlængerledning med en multistikdåse med, så der kan tilsluttes mange ting på samme tid.

Mad skal der til, og den er som regel god. Men husk altid drikkepenge; både på restauranter, hoteller og til guider, chauffører og så videre.

Men hvilken mand vil ikke nyde at give drikkepenge på en Hooters's?

Færdselsreglerne ligner de danske med nogle markante undtagelser. I Danmark vil man fx ikke se et skilt om, at lastbiler, der ikke kan holde den maksimale hastighed på motorvejen, skal holde sig i højre bane.

Når man nærmer sig et sted, hvor hastigheden nedsættes, vil der ofte (men ikke altid) være skiltet med det, som her hvor der advares om at hastigheden nedsættes til 35. Skiltene vil typisk stå omkring 100 m før selve nedsættelsen, så man har tid til at sænke farten.

Der skiltes også med "Adopt a highway", hvor firmaer, organisationer eller private sponserer renholdelsen af en strækning på en vej. Og "highway" kan i denne forbindelse også være mindre grusveje.

Når man virkeligt mener at et stopforbud gælder helt frem til indkørslen. Her på US Route 64.

I amish-området i amterne Iredell og Yadkin, advares man om, at man kan møde hestetrukne transportmidler på vejen.

Et eksempel på en såkaldt "elefantoverhaling". Det kan tage en rum tid for den hurtigste lastbil, at overhale tre eller fire kolleger, når den kun kører 1-2 miles hurtigere i timen.

På Interstate Highways skiltes der typisk ved afkørslerne med, hvad man kan finde ved den pågældende afkørsel af spisesteder, tankstationer og hoteller/moteller. "Diesel" indikerer, at der *også* sælges diesel, hvilket ikke alle tankstationer gør.

I stedet for at slå sig ned på hoteller/moteller, kan man også vælge at bo på mere hyggelige Bed and Breakfast steder; her Clichy Inn (nu Inn on Front Street) i Statesville, Iredell County. De steder jeg har prøvet har altid været gode, med en hyggelig vært, gode værelser og fremragende morgenmad.

Men man kan også indkvartere sig gennem Airbnb, som fx her i Old Ferguson Home i Ferguson, Wilkes County, hvor man har halvdelen af huset for sig selv. Der bor ikke andre, men noget af bygningen bruges som kontor af ejerne.

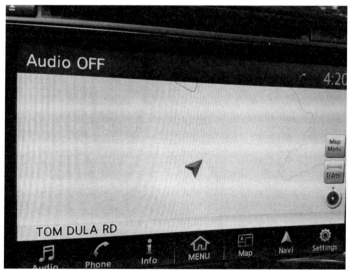

Det er ikke altid at kortene i GPS'erne er helt kendt med WNC. Her ved gps'en hvilken vej, der køres på, men den kan ikke vise vejen på skærmen. Her er vi kun få miles fra Old Ferguson Home, som ligger langt ude på landet. Den blå streg, der anes øverst i billedet, er en bugtning på Yadkin River, som kortet altså kan vise.

Skal man leje bil, så lej en forholdsvis stor bil, som denne "full size", Ford Fusion. De er mere behagelige på langture og har bedre plads til bagage.

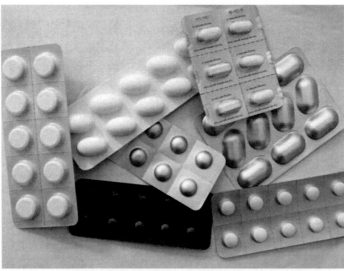

Husk at medbringe nødvendig receptpligtig medicin i håndbagagen i tilfælde af at den indtjekkede baggage skulle blive forsinket eller helt forsvinde. Vær opmærksom på, om medicinen kræver et medicinpas.

Væsker, der sælges i større mængder, måles typisk i gallons, som disse Tabasco saucer, som vi normalt ser i noget mindre modeller i Danmark.

Forskellige kort og rejsebøger kan være gode hjælpemidler i forbindelse med planlægning af en tur, og så selvfølgelig internettet. I afsnittet med adresser, nævner jeg nogle hjemmesider, som fortæller om attraktioner i WNC.

Et pas med en udløbsdato, der ligger seks måneder efter opholdets afslutning, en retur- eller anden billet ud af USA og en godkendt ESTA ansøgning er alle nødvendige for at man kan rejse til USA.

Medbring et eller to internationale kreditkort, men hav også kontanter til fx drikkepenge. I det landlige WNC, er der faktisk nogle få steder, hvor de ikke tager kreditkort, fx i boder der sæl-ger ved landevejen.

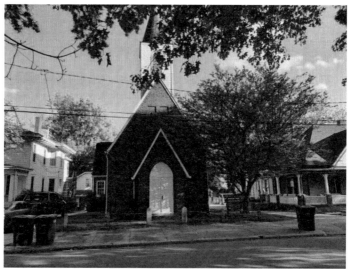

Western North Carolina ligger I "bibelbæltet", så der er mange kirker, som denne lille kvæker-kirke i Statesville, Iredell County. Bliver man inviteret hjem til middag hos private, vil der ofte blive bedt bordbøn.

Ikke alle kirkebygninger ligner det, de er. Bygningen her ligner for mig at se mere en lagerbyg-ning, men det er faktisk Grace Community Church, ved US Route 70 vest for Marion i McDo-well County.

Er man til shopping i mindre grad, kan det være hyggeligt at besøge en "gammeldags" general store, som her i Rockford i Surry County, hvor blandt andet slik er blandt udvalget.

Og det kan være interessant at besøge et af de mange lokale "farmer's market's" der afholdes rundt omkring i området, som fx her i Statesville i Iredell County.

Adresser med mere

I denne sektion har jeg samlet addresser på myndigheder, informationscentre mm., foruden adresser på fleste af de hoteller, moteller, kroer, B&B, restauranter og attraktioner, som er omtalt under de enkelte amter; der kan være enkelte, som ikke er nævnt, og så må man selv slå dem op. I de fleste tilfælde har jeg også bragt en web-adresse på det pågældende sted, hvis jeg har kunnet finde en sådan.

Jeg anfører telefonnumre med alle 10 cifre, men hvis man skal ringe til et nummer med samme områdekode, som man selv befinder sig i, kan man nøjes med at bruge de sidste syv cifre.

"+1" er den internationale landekode for USA, hvis man ønsker at ringe fra Danmark eller andre steder uden for USA. Bruger man en fastnettelefon, skal man bruge "001" i stedet for "+1". Områdekoderne for WNC er følgende:

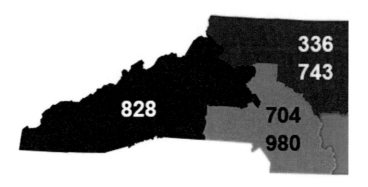

Det meste af WNC ligger i områdekode 828, men mindre dele ligger i 336/743 og 704/980. Det er ikke altid indlysende, hvilket område, man befinder sig i, men er man i tvivl, kan man altid bruge alle ti cifre.

I adressekapitlet nedenfor finder man et eller to telefonnumre, der begynder med 800. Dette betyder at man kan ringe gratis til nummeret.

Generel information

Den Amerikanske Ambassade i Danmark
Dag Hammarskjölds Allé 24, 2100 København Ø, 33 41 71 00
https://dk.usembassy.gov/

Husk +45/0045 foran telefonnummeret, hvis man skal kontakte ambassaden fra udlandet.

Ansøgning om ESTA rejsetilladelse
Den officielle adresse til ESTA ansøgninger hos Customs and Border Protection er: https://esta.cbp.dhs.gov/esta/

Den Danske Ambassade i Washington
3200 Whitehaven St NW, Washington, DC 20008, 202-234-4300
http://usa.um.dk/

Det danske konsulat, der ligger nærmest WNC, findes i Charleston, South Carolina.
205 King Street, Suite 400, Charleston, SC 29401, 843-577-9440
https://www.embassypages.com/missions/embassy14814/

Tripple A (AAA) kontoret i Asheville
178 Merrimon Avenue, Asheville, NC 28801, 828-253-5385
http://locator.carolinas.aaa.com/locations/asheville-superstore/

Internetsider med information om området

86 Cool and Unusual Things to Do in North Carolina:
www.atlasobscura.com/things-to-do/north-carolina

300 things to do in Asheville and WNC:
www.romanticasheville.com/things-to-do

Best Attractions in Western North Carolina:
https://www.searchwnc.com/western-nc-attractions

Blue Ridge Music Trails of North Carolina:
www.blueridgemusicnc.com/find-music/all-events

NC Mountains:
www.vsitnc.com/mountains.

Western NC Attractions:
www.westernncattractions.com/

Western North Carolina Vacation Guide to Attractions:
https://www.greatsmokies.com/area/

Western North Carolina Shopping and Attractions:
www.stayandplayinthesmokies.com/explore/

Velkomst- og informationscentre

Når man kører ind i staten på en interstate highway vil der typisk ligge et velkomstcenter kort efter, at man har passeret statsgrænsen. Jeg har ikke anført adresser på disse, da de ligger ved motorvejene. I-26 har velkomstcentre i WNC både i den vestlige (her nordlige) og den østlige (her sydlige) ende af vejen, I-40 har et velkomstcenter ved den vestlige ende af vejen, mens I-77 ligeledes har velkomstcentre i både den sydlige og den nordlige ende af motorvejen. I-74 har ikke et velkomstcenter inden for grænserne af WNC; begge velkomstcentre (både nord- og sydgående ligger nær grænsen til South Carolina øst for Charlotte), mens I-85 har et velkomstcenter i Kings Mountain sydvest for Gastonia. På disse velkomstcentre kan man få kort, brochurer og rabatkuponer, og personalet vil gerne hjælpe med at bestille hotel osv. Vær opmærksom på, at der ikke er benzinstationer ved disse velkomstcentre, og det er der heller ikke ved andre rastepladser på motorvejene, men som tidligere nævnt, skiltes der typisk med tankstationer ved de fleste frakørsler.

De fleste amter og større byer har informationscentre, af og til kaldet Visitor Center and Convention Bureau eller tilsvarende, Jeg vil ikke gennemgå dem alle, men der findes sådanne informationscentre i Asheville, Cherokee, Hickory, Lenoir, Statesville og flere andre byer. Det nordvestlige North Carolina har et fælles informationscenter ved en rasteplads på US Route 421 øst for North Wilkesboro. Adressen på dette center er:

2121 East Highway 421, North Wilkesboro, NC 28659,
www.nwncvisitorcenter.com

Vær opmærksom på, at det det følgende kapitel ikke indeholder adresser på steder, jeg har omtalt i Charlotte og Winston-Salem, men kun på steder, der omtalt i sektionen med de enkelte amter.

Adresser i Western North Carolina

I dette kapitel bringer jeg adresserne på de fleste af de steder, jeg har omtalt i den sektion af bogen, der omhandlede de enkelte amter. Ud over de steder, jeg omtalte her og derfor bringer adresser på, er der selvfølgelig mange andre steder at overnatte, spise, se og opleve, men disse steder kan man selv finde ved at bruge internettet eller bare ved at holde øjnene åbne, når man besøger området.

Vær opmærksom på at i skrivende stund (september 2020) er mange steder, både indkvarteringssteder, restauranter og attraktioner, fortsat helt eller delvist lukkede på grund af covid-19 virus, og det er slet ikke muligt for danskere at rejse til USA som turister for tiden. Men når det bliver muligt igen, anbefaler jeg, at man selv kontrollerer på internettet om et givent sted er åbent, eller om krisen har betydet, at de har måttet lukke permanent.

I dette kapitel er informationen igen givet i alfabetisk orden efter amt, og inden for hvert amt igen sorteret alfabetisk. Jeg anvender følgende signaturer:

꒱ Steder at bo
🍽 Steder at spise og drikke
⌘ Seværdigheder og andre steder, der er et besøg værd

Alexander County:

꒱ *Apple City Bed and Breakfast*, 143 S Center St, Taylorsville, NC 28681, 828-635-1850, https://www.applecitybedandbreakfast.com/

⌘ *Emerald Hollow Mine*, 484 Emerald Hollow Mine Dr, Hiddenite, NC 28636, 828-635-1126, http://www.emeraldhollowmine.com/

🍽 *Scotty's Hometown Grill*, 30 Buffett Blvd, Taylorsville, NC 28681, 828-635-5635

꒱ *Taylorsville Motel*, 430 E. Main Avenue, Taylorsville, NC 28681, 828-632-4266

🍽 *Yellow Deli*, 5081 NC-90, Hiddenite, NC 28636, 828-548-3354, http://www.yellowdeli.com/hiddenite

Alleghany County:

↜ *Alleghany Inn*, 341 N Main St, Sparta, NC 28675, 336-372-2501, https://www.alleghanyinn.com/

↜ *Harmony Hill Bed & Breakfast*, 1740 Halsey Knob Rd, Sparta, NC 28675, 336-209-0475, http://www.harmonyhillbnb.com/

🍽 *Texmex Riverside*, 1046 US-21, Sparta, NC 28675, 336-372-1955

Ashe County:

🍽 *Black Jack's Pub and Grill*, 18 N Jefferson Ave, West Jefferson, NC 28694, 336-246-3295

↜ *Holiday Inn Express*, 203 Hampton Pl Ct, West Jefferson, NC 28694, 336-846-4000

🍽 *Mountain Aire Seafood and Steaks*, 9930 NC-16, West Jefferson, NC 28694, 336-982-3060, www.mountainaireseafood.com

Avery County:

↜ ⌘ *Banner Elk Villa and Winery*, 60 Deer Run Rd, Banner Elk, NC 28604, 828-898-9090, http://www.bannerelkwinery.com/

🍽 *Bayou Smokehouse and Grill*, 130 Main St E, Banner Elk, NC 28604, 828-898-8952, http://bayousmokehouse.com/

🍽 *Blind Squirrel Brewery*, 4716 S US Hwy 19E, Newland, NC 28657, 828-765-2739, http://www.blindsquirrelbrewery.com/

⌘ *Linville Falls Visitor Center*, Blue Ridge Parkway, Mile Marker 316, Linville Falls, NC 28647, 828-765-1045, https://www.visitnc.com/listing/linville-falls--1

🍽 *Stonewall's Restaurant*, 344 Shawneehaw Ave S, Banner Elk, NC 28604, 828-898-5550, http://www.stonewallsrestaurant.com/

Buncombe County:

⌘ *Basilica of St. Lawrence*, 97 Haywood St, Asheville, NC 28801, 828-252-6042, https://saintlawrencebasilica.org

🍽 ⌘ *Biltmore Estate* (med Dining Room), 1 Lodge St, Asheville, NC 28803, http://www.biltmore.com

⌘ *Cathedral of All Souls*, 9 Swan St, Asheville, NC 28803, 828-274-2681, http://www.allsoulscathedral.org

⌘ *Montreat College*, 310 Gaither Cir, Montreat, NC 28757, https://www.montreat.edu/

🍽 *Rhubarb*, 7 SW, N Pack Square, Asheville, NC 28801, 828-785-153, http://rhubarbasheville.com/

⌘ *Western North Carolina Nature Center,* 75 Gashes Creek Rd, Asheville, NC 28805, 828-259-8080, https://wildwnc.org/

⌘ *Zebulon B. Vance Birthplace*, 911 Reems Creek Rd, Weaverville, NC 28787, 828-645-6706, http://nchistoricsites.org/vance/

Burke County:

⌘ *Berry Site*, 1700 Henderson Mill Road, Morganton, NC 28655, http://inside.warren-wilson.edu/~arch/berrysite

🍽 *Butch's BBQ and Breakfast*, 1234 Burkemont Ave, Morganton, NC 28655, 828-432-5040, https://www.butchsmorganton.com/

🍽 *Denny's*, 1209 Burkemont Ave, Morganton, NC 28655, 828-437-8455, https://locations.dennys.com/nc/morganton/248051

⌘ *Historic Burke County Courthous*e, 02 E Union St, Morganton, NC 28655, 828-437-4104, https://www.historicburke.org/

⮑ *The Inn at Glen Alpine*, 105 Davis St, Morganton, NC 28655, 828-584-9264, www.innatglenalpine.com

🍽 *Wisteria Southern Gastropub*, 108 E Meeting St, Morganton, NC 28655, 828-475-6200, http://wisteriagastropub.com/

Caldwell County:

🍽 *1841 Cafe*, 117 Main St NW, Lenoir, NC 28645, 828-572-4145, https://1841cafelenoir.com/

⮑ *Brown Mountain Beach Resort*, 6785 Brown Mountain Beach Rd, Collettsville, NC 28611, 828-758-4257, http://brownmountainbeach.com/

⌘ *Caldwell County Heritage Museum*, 112 Vaiden St SW, Lenoir, NC 28645, 828-758-4004, http://caldwellmuseum.org/

⌘ *Chapel of Rest*, 1964 NC-268, Lenoir, NC 28645, https://www.visitnc.com/listing/chapel-of-rest

⌘ *Fort Defiance*, 1792 Fort Defiance Dr, Lenoir, NC 28645, 828-758-1671, http://fortdefiancenc.org/

⌘ *Mariah's Chapel*, 5320 Grandin Road, Lenoir, NC 28645, http://mariahschapel.org

⌘ *Mystery Hill*, 129 Mystery Hill Ln, Blowing Rock, NC 28605, 828-264-2792, http://www.mysteryhill-nc.com/

⦿ *Side Street Pour House and Grill*, 128 Main St NW, Lenoir, NC 28645, 828-754-4466, http://sidestreetpourhouse.com

⌘ *Six Water Pots Vineyard and Winery*, 4040 James Drive, Hudson, NC 28638, 828-728-5099, http://sixwaterpots.com/

⌘ *T. H. Broyhill Walking Park*, 945 Lakewood Cir SW, Lenoir, NC 28645, https://cityoflenoir.com/415/Broyhill-Walking-Park

⌘ *The Blowing Rock*, 432 The Rock Road, Blowing Rock, NC 28605, 828-295-7111, http://www.theblowingrock.com/

⦿ *The Salad Bar*, 819 West Ave NW, Lenoir, NC 28645, 828-572-1252

⌘ *Tweetsie Railway Theme Park*, 300 Tweetsie Railroad Ln, Blowing Rock, NC 28605, 828-264-9061, https://tweetsie.com/

Catawba County:

↩ *Best Western Hickory*, 1520 13th Ave Dr SE, Hickory, NC 28602, 828-323-1150, http://bestwesternnorthcarolina.com/hotels/best-western-hickory

⌘ *Bunker Hill Covered Bridge*, 4160 US-70, Claremont, NC 28610, 828-465-0383, http://catawbahistory.org/bunker-hill-covered-bridge

⌘ *Catawba County Firefighters Museum*, 3597 Herman Sipe Rd., Conover, NC 28613, 828-466-0911, http://www.catawbacountync.gov/Fire/ffm.asp

⌘ *Catawba Science Center*, 243 Third Avenue NE, Hickory, NC 28601, 828-322-8169, https://catawbascience.org

⦿ *Granny's Country Kitchen*, 2145 N Center St, Hickory, NC 28601, 828-548-1529

⦿ *Hooter's*, 1211 13th Ave Dr SE, Hickory, NC 28602, 828-324-5700

⌘ *Murray's Mill Historic District*, 1489 Murrays Mill Rd, Catawba, NC 28609, 828-241-4299, http://catawbahistory.org/murrays-mill

⌘ *Old St. Paul's Evangelical Lutheran Church,*
2035 Old Conover-Startown Rd, Newton, NC 28658, 828-464-9786, https://www.oldstpaulslutheran.org/

⦿ *Texas Roadhouse*, 1020 Lenoir Rhyne Blvd SE, Hickory, NC 28602, 828-325-9815

Cherokee County:

🍽 *Andrews Brewing Company*, 565 Aquone Rd, Andrews, NC 28901, 828-321-2006, https://www.andrewsbrewing.com/

🛏 ⌘ *Harrah's Cherokee Valley River Casino*, 777 Casino Pkwy, Murphy, NC 28906, 828-422-7777, https://www.caesars.com/harrahs-cherokee-valley-river/hotel

⌘ *Historical Cheokee County Courthouse*, 75 Unicoi Turnpike, på hjørnet af Central Street, Murphy, NC 28906, USA

Clay County:

🍽 *The Copper Door*, 2 Sullivan St, Hayesville, NC 28904, 828-237-4030, http://thecopperdoor.com/

Cleveland County:

🍽 *Barnette's Restaurant*, 501 N Post Rd, Shelby, NC 28150, 704-482-3746,

🍽 *Cotton's Seafood Restaurant*, 1017 N Post Rd, Shelby, NC 28150, 704-484-0978

⌘ *Gardner-Webb University*, 110 South Main St, Boiling Springs, NC 28017, 704-406-4000, http://gardner-webb.edu/

🛏 *Inn of the Patriots*, 301 Cleveland Ave, Grover, NC 28073, 704-937-2940, http://www.theinnofthepatriots.com/

Gaston County:

🍽 *Arline's Grill*, 3039 Union Rd, Gastonia, NC 28056, 704-810-0900

⌘ *Crowders Mountain State Park*, 522 Park Office Ln, Kings Mountain, NC 28086, 704-853-5375, https://www.ncparks.gov/crowders-mountain-state-park

⌘ *Daniel Stowe Botanical Garden*, 6500 S New Hope Rd, Belmont, NC 28012, 704-825-4490, http://www.dsbg.org/

🍽 *Ray's Smokehouse and Grill*, 219 S Broad St, Gastonia, NC 28052, 704-867-4386

⌘ *Schiele Museum of Natural History*, 1500 E Garrison Blvd, Gastonia, NC 28054, 704-866-6908, http://www.schielemuseum.org/

Graham County:

⌘ *Fontana Dam and Visitor Center*, North Carolina Highway 28, Fontana Dam, NC 28733

⌘ *Junaluska Museum*, 1 Junaluska Memorial Dr., Robbinsville, NC 28771, 828-479-4727

⌇ ⦿ *Snowbird Mountain Lodge,* 4633 Santeetlah Rd, Robbinsville, NC 28771, 828-479-3433, http://www.snowbirdlodge.com/

⦿ *The Hub, 664 Rodney Orr Bypass, Robbinsville, NC 28771, 828-479-0478*

Haywood County:

⦿ *Bourbon Barrel Beef & Ale*, 454 Hazelwood Ave, Waynesville, NC 28786, 828-452-9191, http://bourbonbarrelbeefandale.com/

⦿ *Guyabitos*, 3422 Soco Rd, Maggie Valley, NC 28751, 828-926-7777

⦿ *Haywood Smokehouse*, 79 Elysinia Ave, Waynesville, NC 28786, 828-456-7275, https://haywoodsmokehouse.com/

⌇ *Inn at Iris Meadows*, 304 Love Ln, Waynesville, NC 28786, 828-456-3877, http://www.irismeadows.com/

⌇ *Super 6*, 79 Liner Cove Rd, Waynesville, NC 28786, 828-454-9667

⌘*World Methodist Museum*, 575 N Lakeshore Dr, Lake Junaluska, NC 28745, 828-456-9432, http://methodistmuseum.com/

Henderson County:

⦿ *El Paso Mexican Restaurant*, 105 Sugarloaf Rd, Hendersonville, NC 28792, 828-694-0201, http://www.elpasomexican.net/

⌘ *Historic Johnson Farm* (også kendt som Moss-Johnson Farm), 3346 Haywood Rd, Hendersonville, NC 28791, 828-891-658

⌘ *Mineral and Lapidary Museum*, 400 N Main St, Hendersonville, NC 28792, 828-698-1977, http://mineralmuseum.org/

⦿ *Moe's Original Bar B Que*, 114 N Main St, Hendersonville, NC 28792, 828-595-9200, http://www.moesoriginalbbq.com/lo/hendersonville/

Iredell County

⦿ *Broad Street Burger* Co., 111 E Broad St, Statesville, NC 28677, 980-223-2850, http://www.broadstreetburger.com/

⦿ *Café 220,* 216 S Center St, Statesville, NC 28677, 704-873-7779, http://www.the220cafe.com/

⌇ *Clichy Inn Bed & Breakfast*, 317 West Front Street, Statesville, NC 28677 , 704-929-6458, https://www.clichyinn.com/ [21]

---

[21] Fra 1. oktober 2020 har dette B&B fået nye ejere og fortsætter under navnet Inn on Front Street. Nyt telefonnummer er 704-929-7003. Der er endnu ikke en ny hjemmesideadresse.

🍽 *D'Laney's*, 114 W Broad St, Statesville, NC 28677, 704-924-7007, https://www.dlaneys.com/

🍽 *Farmer's Kitchen*, 3501 Buck Shoals Rd, Union Grove, NC 28689, 704-539-5393

⌘ *Fort Dobbs State Historic Site*, 438 Fort Dobbs Rd, Statesville, NC 28625, 704-873-5882, http://www.fortdobbs.org/

🍽 *Fourth Creek Brewing Co.*, 226 W Broad St, Statesville, NC 28677, 980-223-2294, https://www.fourthcreekbrewco.com/

🍽 *Groucho's Deli*, 101 E Broad St, Statesville, NC 28677, 704-871-2828, https://www.grouchos.com/statesville

⌘ *Iredell Museums*, 134 Court Street, Statesville, NC 28677, 704-873-7347, https://www.iredellmuseums.org/

➷ *Kerr House Bed and Breakfast*, 519 Davie Ave, Statesville, NC 28677, 704-881-0957, https://www.kerrhousebandb.com/

⌘ *Lake Norman State Park*, 759 State Park Rd, Troutman, NC 28166, 704-528-6350, https://www.ncparks.gov/lake-norman-state-park/home

⌘ *Linney's Water Mill*, 4635 Linneys Mill Rd, Union Grove, NC 28689, 704-592-2075, http://linneysmill.com/

⌘ *Love Valley*, 133 Henry Martin Trl, 28625 Love Valley, North Carolina, https://townoflovevalley.com/

⌘ *Memory Lane Museum*, 769 River Hwy, Mooresville, NC 28117, 704-662-3673, https://memorylaneautomuseum.com/

🍽 *Mezzaluna II*, 15 S Center St, Statesville, NC 28677, 704-872-7230, http://www.mezzaluna2.com/

⌘ *Mooresville Arts*, 103 W Center Ave, Mooresville, North Carolina 28115, 704-663-6661, https://mooresvillearts.org/

⌘ *NC Auto Racing Hall of Fame*, 119 Knob Hill Rd, Lakeside Park, Mooresville, NC 28117, 704-663-5331, http://ncarhof.com/

⌘ *North Carolina Transportation Museum*, 1 Samuel Spencer Dr, Spencer, NC 28159, USA, 704-636-2889, https://www.nctrans.org/Default.aspx (Uden for WNC i Rowan County)

🍽 *Red Buffalo Brewing Co,* 108 N Center St, Statesville, NC 28677, 704-380-2219, https://redbuffalobrewing.com

🍽 *Risto's Place Food and Spirits*, 123 N Center St, Statesville, NC 28677, 704-872-5557, http://ristosplace.net/

⌘ *Statesville Historical Collection*, 212 N Center Street, NC 28677. 704-878-2383 http://www.statesvillehistory.com/

🍽 *Tim's Table*, 133 N Main St, Mooresville, NC 28115

🍽 *Twisted Oak*, 121 N Center St #104, Statesville, NC 28677, 980-223-8186, http://twistedoakbarandgrill.com/menu/

Jackson County:

🍽 *Haywood Smokehouse*, 403 Haywood Rd, Dillsboro, NC 28725, 828-631-9797, https://haywoodsmokehouse.com/

🍽 *Creekside Oyster House and Grill*, 483 Skyland Dr, Sylva, NC 28779, 828-586-1985

⌘ *Jackson County Historic Courthouse*, 310 Keener St, Sylva, NC 28779, USA 828-586-4055, http://www.jacksonnc.org/historic-courthouse.html

🍽 *Soul Infusion Tea House and Bistro*, 628 E Main St, Sylva, NC 28779, 828-586-1717, http://www.soulinfusion.com/

⌘ *Western Carolina University*, 1 University Way, Cullowhee, NC 28723, 828-227-7211, https://www.wcu.edu/

Lincoln County:

🍽 *BBQ King*, 2613 E Main St, Lincolnton, NC 28092, 704-735-1112, http://www.barbqkingnc.com/

🍽 *Johnny's Mexican American Bar & Grill*, 1519 W Hwy 150, Lincolnton, NC 28092, 704-240-3950, http://johnnyssportsbar.com/

⌘ *Mundy House and Historic Center of Eastern Lincoln County*, 4353 S Nc 16 Hwy, Denver, NC 28037, 704-477-0987

⌐ *White Rose Manor Bed & Breakfast*, 1379 S Aspen St, Lincolnton, NC 28092, 704-562-0220, http://whiterosemanor.com/

Macon County:

🍽 *Gazebo Creekside Cafe*, 44 Heritage Hollow Dr, Franklin, NC 28734, 828-524-8783, http://www.gazebocreeksidecafe.com/

🍽 *Haywood Smokehouse*, 33 Macon Center Dr, Franklin, NC 28734, 828-369-6666, https://www.haywoodsmokehouse.com

⌘ *Mason Sapphire and Ruby Mine*, 6961 Upper Burningtown Rd, Franklin, NC 28734, 828-369-9742, http://www.masonsmine.com/

🍽 *Ms. Lois' Restaurant*, 145 Highlands Rd, Franklin, NC 28734, 828-369-8628, https://www.msloisrestaurant.com/

⌘ *Rose Creek Mine,* 115 Terrace Ridge Dr, Franklin, NC 28734, 828-349-3774, http://www.rosecreekmine.com/

Madison County:

⌘ *Appalacian Barn Alliance*, PO Box 1441, Mars Hill, NC 28754, 828-380-9146, https://appalachianbarns.org/

⌘ *Mars Hill University*, 100 Athletic St, Mars Hill, NC 28754, 828-689-1307, http://www.mhu.edu/

McDowell County:

⌘ *Andrews Geyser*, 2111 Mill Creek Rd, Old Fort, NC 28762, 828-668-4282

⌘ *Carson House*, 1805 US-70, Marion, NC 28752, 828-724-4948, http://www.historiccarsonhouse.com/

🍽 *Countryside BBQ Restaurant*, 2070 Rutherford Rd, Marion, NC 28752, 828-652-4885, http://www.countrysidebbq.net/

↩ *Inn on Mill Creek*, 3895 Mill Creek Rd, Old Fort, NC 28762, 828-668-1115, https://www.innonmillcreek.com

⌘ *Linville Caverns*, 19929 US-221, Marion, NC 28752,

⌘ *Old Fort Depot and Museum*, 25 W Main St, Old Fort, NC 28762, 828-668-4244, https://www.carolinacountry.com/carolina-stories/old-fort-depot-and-museum

Mitchell County:

↩ *Alpine Inn*, 8576 NC-226, Marion, NC 28752, 828-765-5380, http://alpineinnnc.com/
NB! *På trods af adressen i Marion, ligger kroen i Little Switzerland.*

↩ *Big Lynn Lodge*, 10860 NC-226A, Little Switzerland, NC 28749, 828-765-4257, http://biglynnlodge.com/

🍽 *Bonnie and Clyde's*, 2660 NC-226, Bakersville, NC 28705, 828-688-2233

↩ *Chinquapin Inn*, 2249 Conley Ridge Rd, Penland, NC 28765, 828-765-0064, https://www.chinquapininn.com/,

🍽 *El Ranchero*, 202 Locust St, Spruce Pine, NC 28777, 828-765-6222,

⌘ *Gem Mountain Gemstone Mine*, 13780 Highway 226 South, Spruce Pine, NC 28777, 828-765-6130, https://www.gemmountain.com/

⌘ *Museum of North Carolina Minerals*, 79 Parkway Maintenance Rd, Spruce Pine, NC 28777, 828-765-2761, https://www.blueridgeheritage.com/destinations/museum-of-north-carolina-minerals/

⌘ *North Carolina Mining Museum*, 331 McKinney Mine Rd, Spruce Pine, NC 28777, 828-765-2761, https://www.emeraldvillage.com/mines-activities/north-carolina-mining-museum/

⤳ *Richmond Inn Bed & Breakfast,* 51 Pine Ave, Spruce Pine, NC 28777, 828-765-6993, http://www.richmondinn.us/

⌘ *Rio Doce Gem Mine*, 4622 NC-226 S, Spruce Pine, NC 28777, 828-765-2099, https://www.riodoce.com/

⤳ 🍽 *Switzerland Inn*, 86 High Ridge Rd, Little Switzerland, NC 28749, 828-765-2153, https://www.switzerlandinn.com/

🍽 *The Tropical Grill*, 198 Oak Ave, Spruce Pine, NC 28777, 828-765-0909, http://www.thetropicalgrill.com/

Polk County:

🍽 *Giardini Trattoria*, 2411 NC-108, Columbus, NC 28722, 828-894-0234, http://www.giardinigardens.com/

⤳ 🍽 *Orchard Inn*, 100 Orchard Inn Ln, Saluda, NC 28773, 828-749-5471, https://www.orchardinn.com/

⤳ ⌘ *Tryon International Equestrian Center*, 25 International Blvd, Mill Spring, NC 28756, 828-863-1000, http://tryon.coth.com/

Rutherford County:

⌘ *Bennett Classical Auto Museum*, 241 Vance St, Forest City, NC 28043, 828-247-1767, http://www.bennettclassics.com/

⌘ *Bechtler Mint Site Historic Park*, 342 Gilboa Church Rd, Rutherfordton, NC 28139, 828-287-6113, https://www.visitnc.com/listing/bechtler-mint-site-historic-park

⌘ *Chimney Rock State Park*, 431 Main St, Chimney Rock, NC 28720, 828-625-9611, http://www.chimneyrockpark.com/

🍽 *Copper Penny Grill*, 146 E Main St, Forest City, NC 28043, 828-229-3330, http://www.copperpennygrill.com/

⌘ *Maimy Etta Black Fine Arts Museum*, 404 Hardin Rd., Forest City, NC 28043 828-248-1525

⌘ *Rutherford County Farm Museum*, 240 Depot St, Forest City, NC 28043, 828-248-1248, https://www.visitncsmalltowns.com/listing/rutherford-county-farm-museum/151/

🍽 *Scoggins Seafood & Steakhouse*, 300 Chimney Rock Rd #16, Rutherfordton, NC 28139, 828-287-3167, https://scogginsseafoodandsteakhouse.com/

⌘ *The Bechtler House Heritage Center*, 130 W 6th St, Rutherfordton, NC 28139, 828-351-9575, https://www.visitncgold.com/rutherford.html

↵ ⑩: *The Esmeralda Inn and Restaurant*, 910 Main St, Chimney Rock, NC 28720, 828-625-2999, https://theesmeralda.com/

↵ *Willowbrook Inn*, 103 Resort Ln, Lake Lure, NC 28746, 828-625-1010, http://www.willowbrookinn.net/

Stokes County:

⌘ *Hanging Rock State Park*, 1790 Hanging Rock Park Rd, Danbury, NC 27016, 336-593-8480, https://www.ncparks.gov/hanging-rock-state-park

⑩ *John Brown's Country Store and Grill*, 4732 North Carolina Hwy 66 S, King, NC 27021, 336-983-6640, http://www.johnbrownsgrill.com/

⌘ *Moratock Iron Furnace and Park,* Sheppard Mill Rd, Danbury, NC 27016, 336-593-8165,

↵ *Pilot Knob Inn*, 361 New Pilot Knob Ln, Pinnacle, NC 27043, 336-325-2502, http://www.pilotknobinn.com/

⌘ *The Rock House,* 1041 Colonel Jack Martin Rd, Pinnacle, NC 27043

⑩ *Tlaquepaque Mexican Grill*, 105 Retail Cir, King, NC 27021, 336-983-0603 http://www.tlaquepaquenc.com/

Surry County:

⑩*13 Bones*, 502 S Andy Griffith Pkwy, Mt Airy, NC 27030, 336-786-1313, http://eat13bones.com/

⌘ *Pilot Mountain State Park*, 1792 Pilot Knob Park Rd, Pinnacle, NC 27043, 336-325-2355, https://www.ncparks.gov/pilot-mountain-state-park

⌘ *Rockford General Store*, 5174 Rockford Rd, Dobson, NC 27017, 336-374-5317, http://www.rockfordgeneralstore.com/

↵ *Rosa Lee Manor*, 385 Rosa Lee Ln, Pilot Mountain, NC 27041, 336-325-0365, http://rosaleemanor.com/index.html

Swain County:

↵ *Chestnut Lodge on Deep Creek*, 273 E Deep Creek Rd, Bryson City, NC 28713, 281-485-2109, http://chestnutlodgeondeepcreek.com/

↵ ⑩ *Everett Hotel (Cork & Bean Bistro)*, 16 Everett St, Bryson City, NC 28713, 828-488-1934, https://www.theeveretthotel.com

⌘ *Flyfishing Museum of the Southern Appalachians*, 210 Main St, Bryson City, NC 28713, 828-488-3681, https://flyfishingmuseum.org/

🍴 *Granny's Kitchen*, 1098 Paint Town Rd, Cherokee, NC 28719, 828-497-5010, https://www.grannyskitchencherokee.com/

⌘ *Great Smoky Mountains Railroad*, 226 Everett St, Bryson City, NC 28713, 828-586-8811, http://www.gsmr.com/

↴ 🍴 ⌘*Harrah's Cherokee Casino*, 777 Casino Dr, Cherokee, NC 28719, 828-497-7777, https://www.caesars.com/harrahs-cherokee

⌘ *Mingus Mill*, Mingus Creek Trail, Cherokee, NC 28719, 865-436-1200, https://www.nps.gov/grsm/planyourvisit/mfm.htm

⌘ *Mountain Farm Museum*, Great Smoky Mountains National Park, Cherokee, NC 28719, 828-497-1904, https://www.nps.gov/grsm/planyourvisit/mfm.htm

⌘: *Mountainside Theatre (*forestillingen Unto These Hill):
Forestilling: 688 Drama Road, Billetter: 564 Tsali Blvd, Cherokee, NC 28719, 828-488-7857, http://www.cherokeesmokies.com/unto_these_hills.html

⌘ *Museum of the Cherokee Indian*, 589 Tsali Blvd, Cherokee, NC 28719, 828-497-3481, http://www.cherokeemuseum.org/

↴ 🍴 ⌘ *Nantahala Outdoor Center*, 13077 US-19, Bryson City, NC 28713, 828-366-7502, https://noc.com/

↴ *Newfound Lodge*, 1192 Tsali Blvd, Cherokee, NC 28719, 828-497-2746

⌘ *Oconaluftee Indian Village*, 218 Drama Road, NC 28719 Cherokee, 828-497-2111, http://visitcherokeenc.com/play/attractions/oconaluftee-indian-village/

🍴 *Paul's Family Restaurant*, 1111 Tsali Blvd, Cherokee, NC 28719, 828-497-9012

↴ *Pink Motel*, 1306 Tsali Blvd, Cherokee, NC 28719 828-497-3530

⌘ *Qualla Arts & Crafts*, 645 Tsali Blvd, Cherokee, NC 28719, 828-497-3103, http://www.quallaartsandcrafts.com/

⌘ *Smoky Mountain Train Museum*, 100 Greenlee St, Bryson City, NC 28713, 828-488-5200

⌘ *Swain County Visitor Center and Heritage Museum*, 255 Main Street, Bryson City, NC 28713, 828-488-7400, https://www.swainheritagemuseum.com/

🍴 *The Warehouse at Nantahala Brewery*, 61 Depot St, Bryson City, NC 28713, 828-341-1105, http://www.nantahalabrewing.com/home.html

Transylvania County:

↴ *Bed and Breakfast on Tiffany Hill*, 400 Ray Hill Rd, Mills River, NC 28759 828-290-6080, https://www.tiffany-hill.com/rooms-suites/

⌘ *Brevard College*, One Brevard College Drive, Brevard, NC 28712, 828-883-8292, https://www.brevard.edu/

⌘ *Craddle of Forestry in America*, 11250 Pisgah Hwy, Pisgah Forest, NC 28768, USA, 828-877-3130, https://cradleofforestry.com/

⌘ *Looking Glass Falls*, US-276, Brevard, NC 28712

⌐ *Pines County Inn*, 1780 Hart Rd, Pisgah Forest, NC 28768, 828-877-3131, http://www.pinescountryinn.com/

⌘ *Sliding Rock Falls*, US-276, Brevard, NC 28712

Watauga County:

⦿ *Appalachian Mountain Brewery*, 163 Boone Creek Dr, Boone, NC 28607, 828-263-1111, https://amb.beer/

⌘ *Appalachian State University*, 287 Rivers St, Boone, NC 28608, 828-262-2000, http://www.appstate.edu/

⦿ *Coyote Kitchen*, 200 Southgate Dr, Boone, NC 28607, 828-265-4041, http://www.coyotekitchen.com/

⌘ *Daniel Boone Amphitheatre* (forestillingen Horn in the West), 591 Horn in the West Dr.
Boone, NC 28607, 828- 264-2120, http://www.horninthewest.com/

⦿ *Daniel Boone Inn*, 130 Hardin St, Boone, NC 28607, 828-264-8657, http://www.danlbooneinn.com/

⌘ *Daniel Boone Native Gardens*, 651 Horn in the W Dr, Boone, NC 28607, 828-264-6390, http://danielboonenativegardens.org/

⌘ *Hickory Ridge Living History Museum*, 591 Horn in the W Dr, Boone, NC 28607, 828-264-2120, http://www.hickoryridgemuseum.com/

⌐ *Lovill House Inn*, 404 Old Bristol Rd, Boone, NC 28607, 828-264-4204, http://www.lovillhouseinn.com/

⌘ *Mast General Store*, 630 W King St, Boone, NC 28607, 828-262-0000, https://www.mastgeneralstore.com/

⦿ *Wild Craft Eatery*, 506 W King St, Boone, NC 28607, 828-262-5000, http://www.thewildcrafteatery.com/

Wilkes County:

⦿ *Brushy Mountain Smokehouse and Creamery*, 201 Wilkesboro Ave, North Wilkesboro, NC 2865, 336-667-9464, https://www.brushymtnsmokehouse.com/

⌘ *Call Family Distillers*, 1611 Industrial Dr, Wilkesboro, NC 28697, 336-990-0708, https://www.callfamilydistillers.com/

⌘ *Candlelight Ghost Tours*, 203 East St, Wilkesboro, NC 28697, 336-667-3171 https://www.haunts.com/wilkesheritagemuseum

⌘ *Copper Barrel Distillery*, 508 Main St, North Wilkesboro, NC 28659, 336-262-6500, https://copperbarrel.com/

🍴 *Dooley's Tavern & Grill*, 102 E Main St, Wilkesboro, NC 28697, 336-667-0800

⌘: *Forest Edge Amphitheatre*, Fort Hamby Park, 1534 South Recreation Road, Wilkesboro, NC 28697, 336-921-3390, https://www.visitnc.com/listing/forest-edge-amphitheatre

🍴 *Grocery Basket & Grill*, 189 Champion Rd, Ferguson, NC 28624, 336-973-3114

⌘ *Hillside Horror*, 2122 Hoots Road, Roaring River, NC 28669, 336-452-2800, http://www.hillsidehorror.com/

🛏 *Holiday Inn Express*, 1700 Winkler St, Wilkesboro, NC 28697, 336-838-1800

🛏 *Leatherwood Mountains Resort*, 512 Meadow Rd, Ferguson, NC 28624, 336-973-5044, http://www.leatherwoodmountains.com/

⌘ *MerleFest Music Festival*, Wilkes Community College, 1328 S Collegiate Dr, Wilkesboro, NC 28697.

🛏 *Old Ferguson Home,* Ferguson, Ligger bag Whippoorwill Academy and Village, se nedenfor, og bestilles via Airbnb.

⌘ *Raffaldini Vineyards & Winery*, 450 Groce Rd, Ronda, NC 28670, 336-835-9463, https://www.raffaldini.com/

⌘ *Ronda Town Hall*, 123 Chatham St, Ronda, NC 28670, 336-835-2061

⌘ *Stone Mountain State Park*, 3042 Frank Pkwy, Roaring Gap, NC 28668, 336-957-8185, https://www.ncparks.gov/stone-mountain-state-park

🛏 *Stoney Fork Bed & Breakfast*, 2204 Mt Zion Rd, Ferguson, NC 28624, 1 336-973-5299, http://www.stoneyforkcampground.com/

🍴 *Tipton's Bar-B-Que*, 1840 Winkler St, Wilkesboro, NC 28697, 336-667-0669, (NB! Midlertidigt lukket pga ombygning i 2019. (Muligvis lukket permanent i 2020.)

⌘ *Whippoorwill Academy and Village*, 11928 NC Hwy 268 W Ferguson, NC 28624, 336-973-3237. http://www.whippoorwillacademy.com/

⌘ *Wilkes Heritage Museum*, 100 E Main St, Wilkesboro, NC 28697, 336-667-3171, http://www.wilkesheritagemuseum.com/

Yadkin County:

⌘ *Brandon Hills Vineyard*, 927 Brandon Hills Rd, Yadkinville, NC 27055, 336-463-9463, http://www.brandonhillsvineyard.com/

⌘ *Laurel Gray Vineyards*, 5726 W Old US 421 Hwy, Hamptonville, NC 27020, 336-468-9463, http://laurelgray.com/

⌘ *Midnight Magdalena Vineyards*, 5109 Howell School Rd, Jonesville, NC 28642, 336-835-6681, https://www.midnightmagdalena.com/

⌘ *RagApple Lassie Vineyards & Winery*, 3724 Ragapple Lassie Ln, Boonville, NC 27011, 336-367-6000, http://www.ragapplelassie.com/

⌘ *Shiloh General Store*, 5520 St. Paul Church Road, Hamptonville, NC 27020 336-468-4789, https://www.shilohgeneralstorenc.com/

⌐ *Vintage Inn Bed & Breakfast*, 705 E Main St, Yadkinville, NC 27055, 866-219-0696, http://www.vintageinnbedandbreakfast.com/

Yancey County:

⌐ *Albert's Motel*, 76 S Toe River Rd, Burnsville, NC 28714, 828-675-4691, http://www.alberts-burnsville.com/

🍽 *Bantam Chef*, 19 Burnsville School Road, Burnsville, NC 28714, 828-682-6911

⌐ *Celo Inn*, 45 7 Mile Ridge Rd, Burnsville, NC 28714, 828-675-5132, http://www.celoinn.com/

⌘ *John Wesley McElroy House*, 3 Academy Street, Burnsville, NC 28714, 828-678-9587, https://www.visitnc.com/listing/mcelroy-house-museum

⌘ *Mount Mitchell State Park*, Pisgah National Forest, 2388 NC-128, Burnsville, NC 28714, 828-675-4611, https://www.ncparks.gov/mount-mitchell-state-park

🍽 *Mount Mitchell State Park Restaurant*, 828-675-1024.
NB! samme adresse og webside som statsparken

⌐ *Nu-Wray Inn*, 102 Town Square, Burnsville, NC 28714, 828-682-2329, http://www.nuwrayinn.com/

⌘: *Parkway Playhouse*, 202 Green Mountain Dr, Burnsville, NC 28714, 828-682-4285, http://www.parkwayplayhouse.com/11

🍽 *Pig and Grits*, w 28714, 620 W Main St, Burnsville, NC 28714, 828-536-0010, http://www.pigandgrits.com/

🍽 *Snap Dragon*, 107 Town Square, Burnsville, NC 28714, 828-682-3946

Oversigt over amter, der er omtalt i guiden

Alexander County 83

Alleghany County 85

Ashe County 86

Avery County 87

Buncombe County 89

Burke County 91

Caldwell County 94

Catawba County 99

Cherokee County 101

Clay County 102

Cleveland County 103

Gaston County 104

Graham County 105

Haywood County 108

Henderson County 110

Iredell County 111

Jackson County 117

Lincoln County 118

Macon County 119

Madison County 121

McDowell County 123

Mitchell County 144

Polk County 146

Rutherford County 147

Stokes County 149

Surry County 151

Swain County 153

Transylvania County 160

Watauga County 161

Wilkes County 163

Yadkin County 170

Yancey County 174

Jan Kronsell bor Brøndby i Danmark.

Han har blandt andet været officer i Søværnet, Systemkonsulent hos IBM og arbejder pt. som underviser på en handelsskole.

Han har besøgt USA og det vestlige North Carolina utallige gange, og forventer at skulle besøge området mange gange i fremtiden.

Forfatter til:

Land of Friendliness and Beauty – A Danes Guide to Western North Carolina (2018). Denne bog i engelsk version

Vejen til Petaluma (2019). Mere eller mindre underlige og måske kedelige rejseoplevelser fra USA (og lidt til).

The Doctor's Secret – Another Version of the Tom Dooley Legend (2019). En kortroman om mordet, der gav anledning til den berømte sang.

Who Killed Laura Foster? (2020). De undersøgelser, fakta og overvejelser, der ligger til grund for kortromanen.